大阪の逆襲

万博・IRで見えてくる5年後の日本

石川智久
多賀谷克彦
関西近未来研究会

青春新書
INTELLIGENCE

はじめに

万博の経済効果は1・9兆円の見込み

　この本が店頭に並ぶころには新型コロナが終息していることを願いつつ、いま、筆者はこの「はじめに」を書いています。本書執筆時点（2020年4月）では、東京オリンピック・パラリンピックの1年程度の延期が決まり、東京や大阪で緊急事態宣言が発令されるなど、まだ緊張感がある状況です。

　しかしながら、筆者としては、こうした厳しい対応によって、この難局をなんとか乗り切れると信じています。そして、2021年に東京オリンピック・パラリンピックを成功させて、世界に日本と東京の素晴らしさが再認識されることを期待しています。今回の延期によって不利益を被る方がおられますので、そうした方に十分に配慮しつつ、もう1年準備をしていけば、災い転じて福となすことも夢ではありません。

また、新型コロナを乗り切った証となれば、逆に歴史に残るオリンピック・パラリンピックとなるでしょう。まさに「東京の逆襲」です。

さて、本書のタイトルは『大阪の逆襲』です。このタイトルに込めた意味を説明したいと思います。それは、オリンピック・パラリンピックによって「東京の逆襲」が成功し、そのいい流れをもっと加速させるため、2025年の大阪・関西万博で大阪が逆襲します。その時、本当の意味で「日本の逆襲」が始まると我々は確信しているということです。

昔はオリンピックと万博は一体的と考えられていたことはご存じでしょうか。1940年、幻の東京オリンピックがあったことは知られていますが、同じ年に万博も「東京」で開催されるはずだったことは、知らない方も多いかもしれません。そして1964年の東京オリンピック開催時には、西日本に同じようなビッグイベントがあったほうがいいという議論もあって、1970年の大阪万博が開催されました。こうみると、オリンピックと万博、両方で盛り上がるというのが、実は日本の伝統とも言えます。関西近未来研究会としては、オリンピック・パラリンピックと万博の両者の成功を強く願っています。

それでは、万博があるからといって、大阪・関西は逆襲できるのでしょうか。関西経済が〝地盤沈下〟していると言われてからかなり久しいものがあるなか、その疑問も頷《うなず》けるものがあります。この言葉は、ものの本によれば、1952年に当時の大阪商工会議所の杉道助氏が年頭挨拶で「近年、大阪経済の地盤沈下の傾向が目立ってきた。この際、真剣に大阪経済の振興をはかることが緊要である」という話をしたのが、公式の場で初めてみられたとのことです。それが60年以上も続いていると考えると、この問題には根深いものがあります。

いま私は東京にいますが、関西や大阪経済が元気であると思っている人は、東京にはあまりいないのが実情です。実際、私が会う方々も「関西での商売はしんどい」という方が少なくありません。関西に関心がある人でも「京都には観光で行くけれど、そのほかの地域には最近行っていない」という人が多くみられます。関西で勤務した私としては少々寂しいものがありますが、東京オリンピック・パラリンピックで盛り上がるなかでは仕方がない面もあります。

しかし、2018年11月にその歴史が変わりました。それは先ほど申し上げた、2025年大阪・関西万博の誘致が成功したのです。

万博と聞いてあまりイメージが湧かない人も多いと思います。2005年に愛知で愛・地球博がありましたが、もうそれが15年前であって、それ以降はわが国では万博は開催されていません。さらに、東京オリンピック・パラリンピックの準備で忙しいなか、東京のメディアも2025年大阪・関西万博にはまだあまり触れていません。

ところが、実は、オリンピック・パラリンピックが1か月間程度であるのに対し、万博は半年間のお祭りであり、地上最大のイベントとも言われています。

実際、オリンピックが1000万人、サッカーワールドカップが数百万人規模の集客数であるのに対し、1970年の大阪万博は6000万人以上、2025年も2800万人の来場者を見込んでいます。経済効果も建設を除く部分では1・5兆円、建設部分を入れると1・9兆円になります。そういう意味では「地上最大」というのはあながち「嘘」ではないと思います。

さらに、カジノ付きのリゾートである統合型リゾート、いわゆるIR《アイアール》も、大阪が有力な候補地となっています。これも1兆円近い投資に加え、万博とほぼ同時期の開業も見込まれています。つまり、オリンピック後は、これまで永い眠りの中にいた大阪・関西への注目が高まる時代になりそうなのです。

開発、イベントが目白押しの大阪

関西近未来研究会は、万博が決まる直前に「万博が来ても来なくても、関西の近未来について何か提言したい」との考えから集まった有志の勉強会です。皆、関西で仕事をしていますが、関西出身者は数名しかおらず、意外と非関西率が高い集まりです。我々の議論の成果は関西の各方面で披露させていただいていますが、大変有難いことに、我々の話に興味を持ってくださる方が増えています。そこで今回、このような書籍として1冊にまとめる運びとなりました。

我々の話に興味を持たれるのは関西の方が多いのですが、最近では、全国化してきています。筆者が東京で大阪経済についてマスコミ向け勉強会を開催した時も、予想よりも多くの方に興味を持っていただきました。

また、あるベンチャーキャピタリストが私のところに電話をかけてきて、大阪や万博について根ほり葉ほり聞かれたということもありました。彼は多くの有望なスタートアップを育成してきており、先見の明がある方です。この方が関心を示したことで、我々の自信は確信に変わっています。

大阪・関西には、万博以外にも大きな開発案件がたくさんあります。関西にお住まいの年配の方に話を聞くと、50年に一度と言えるくらいたくさんあるということです。詳しくは後述しますが、２０２１年には、一定の年齢以上であればだれもが参加できるスポーツ大会「ワールドマスターズゲームズ２０２１関西」があります。

２０２４年には、大阪駅にうめきた地区の２期開発も街びらきとなります。中之島という大阪の一等地では、大阪大学医学部附属病院の跡地がもったいないことに空き地として未利用地だったのですが、そこには未来医療拠点というこれからの医療産業を引っ張っていく施設ができます。京都も文化庁が移転しますし、神戸も三宮駅前の再開発が予定されています。

そして2025年には万博です。また、大阪市と大阪府が合併する「大阪都構想」というのを聞いたことがあると思いますが、2020年11月の住民投票次第では、その大阪都構想が2025年に実現する可能性もあります。さらに、カジノ付き統合型リゾートであるIRは大阪が有力な候補地となっており、誘致に成功すれば、万博会場でもある夢洲《ゆめしま》にオープンします。

このようにみると、関西ではたくさんのイベントが目白押しです。ただし、うれしい悲鳴なのですが、関西だけではスケジュール通りに開業できない、もしくは全部完結できないのではないかと思えます。

大阪の逆襲から、日本の逆襲へ

そのようななか、本書には二つの目的があります。

一つは、関西の人には本書を通じて、大きなビジネスチャンスに気づいてもらうということです。2025年頃までに予定されている多くのイベントを成功させるのと同時に、万博を「てこ」に2025年以降のさらなる発展の道筋を考えなければならないということです。
もう一つは、全国の人に関西でビジネスチャンスをつかむきっかけを見出してもらうというものです。本書は「関西の、関西による、関西のための」といった関西礼賛本ではありません。全国と関西が協力して、関西での案件を成功させることで、「日本全体がどうしたらよくなるか」を考えることを目的としています。ぜひとも関西に力を貸していただきたいですし、関西でチャンスをつかんで、皆様のビジネスをぜひ大きくしてほしいと思います。

関西では万博・IRに向けて熱気が高まりつつあります。例えば、万博やIRのセミナーは連日満員ですし、私もメンバーの一員である「夢洲新産業創造研究会」という業種を超えた勉強会には、100社を超す企業がすでに入会しています。2025年に向けて、そういった会合が増えると思いますが、本書はそこに参加される際の入門書としての役割もあります。

東京一極集中是正が声高に言われてきましたが、東京の成長を抑制して悪平等を図ることは日本全体として大きな問題です。東京と地方が同時に繁栄することが本当の地方創生・日本再生です。地方が東京とは違う成長モデルを提示して、東京とは違う形で、そして、東京と地方が助け合うような形で成長することを本研究会では目指しています。

そして、2021年の「東京の逆襲」、2025年の「大阪の逆襲」が成功して、令和が「日本の逆襲時代」となる方法を、読者の方々と一緒に考えたいと思っています。

一人でも多くの方々に本書と当研究会の活動に関心を持っていただければ、これに勝る喜びはありません。

2020年4月

石川智久

大阪の逆襲 ～万博・IRで見えてくる5年後の日本～ 目次

はじめに……3

第1章 なぜいま、大阪周辺がアツいのか？

世界ランキングで上位を総ナメにする大阪の魅力！……20
大阪の訪日外国人は5年間でなんと3倍増……26
関西が日本の観光をリードする理由とは……29
訪日客の増加にともない、ホテル建設ラッシュが起きている……35
スポーツが経済を引っ張る……36
豊かな伝統文化と新たな文化戦略……39
関西は「アホ」か？ ～科学イノベーションの理想郷 関西～……42
関西各地のオモロイ仕掛け……48
世界のライフサイエンスをリードするKANSAI……51
万博は関西のものではない ～国家事業としての大阪・関西万博～……54
万博の「夢は終わらねえ」……59

万博は「未来に会える場所」……63

第2章 IR（統合型リゾート）のインパクト

IRの投資額は1兆円規模……68
「カジノで稼いだカネを福祉に回す」……70
カジノの占有面積はIR全体の3％にすぎない……73
ギャンブル依存対策……76
カジノは欧州発、フランス革命の頃から……78
米国とアジアのカジノ事情……81
MICEに参加する外国人の総消費額は、一般観光客の2倍……84
大阪が目指すIR ～売上高4800億円のビッグビジネス～……88
市民に理解されるIRを……90
column
関西は一つ？ それとも一つひとつ？……95

第3章 スーパーシティ構想とは何か

名前はダサいが実はイケてるスーパーシティ …… 104
これまでの「スーパーシティ」的な構想 …… 105
夢洲の「デジタルアイランド」としての可能性 …… 108
大学院生の取り組みから見える、未来の夢洲 …… 111
未来型の大阪・関西の街のデザインはC2Cがカギを握る …… 113
夢洲・都心連携による未来都市の出現 …… 117
column 日本を変えた1970年大阪万博 …… 119

第4章 「2025年問題」と関西

２０２５年が持つ歴史的な意味とは何か……130
確実にやってくる「２０２５年問題」……132
空き家、老老介護、８０５０問題……136
イノベーションを求め過ぎて、かえって遠ざけてしまう日本……138
イノベーションはガラクタから生まれる……142
ＶＵＣＡの乗り越え方は、関西で「再」発見される⁉……145
２０２５年問題の本質……147
20世紀型モデルと21世紀型モデル……150
関西企業のリアリスト気質……153
関西人のコミュニケーション力の高さ……157
ほかにもある！　関西の豊富なリソース……160
ビレッジシティ関西の可能性……164
column 独自戦略で逆襲する関西……169

第5章 大阪だからこそ創れる「もうひとつの未来」

テクノロジーが未来をつくる？ …… 176
テクノロジーは世界を均質化する …… 180
高齢者ファースト社会の落とし穴 …… 183
目指すのは「多世代循環型の未来社会」 …… 185
多世代循環型の「いのち輝く未来社会」5つのアイデア …… 189
シンギュラリティは脅威か …… 201
関西人が持つ「ＡＩに負けない力」 …… 205
リアリストでチャレンジャーな関西人 …… 207
21世紀型組織はここから生まれる …… 210
集まれ！ リアルなファーストペンギン …… 212

おわりに …… 216

関西近未来研究会とは？

関西の未来を構想する自主的勉強会。関西を愛してやまないマスコミ人、企業人、研究者などが集結。万博をはじめとする関西でのイベントが関西や日本全体に与える影響を分析するほか、新しいライフスタイルなどを提言している。講演会も多数開催。

メンバーは、多賀谷克彦（朝日新聞）、加賀有津子（大阪大学大学院）、小泉正泰、西村陽（以上、関西電力）、杉田英樹（ゼータコンサルティング）、石川智久（日本総合研究所）、岡田功、荻洲貞明、中尾真範（以上、博報堂）。

[執筆者]

はじめに	石川智久
第１章	なぜいま、大阪周辺がアツいのか？ 岡田功、小泉正泰
第２章	IR（統合型リゾート）のインパクト　多賀谷克彦
column	関西は一つ？ それとも一つひとつ？　多賀谷克彦
第３章	スーパーシティ構想とは何か　西村陽、加賀有津子
column	日本を変えた1970年大阪万博　西村陽
第４章	「2025年問題」と関西　中尾真範、荻洲貞明
column	独自戦略で逆襲する関西　石川智久
第５章	大阪だからこそ創れる「もうひとつの未来」 荻洲貞明、杉田英樹
おわりに	杉田英樹

本文デザイン ◉ STANCE　中原克則
DTP ◉ センターメディア
編集協力 ◉ 今井順子

第1章

なぜいま、大阪周辺がアツいのか？

世界ランキングで上位を総ナメにする大阪の魅力！

東京一極集中が言われて久しいものがあります。全国ニュースを見ても、関西が報じられることはあまり多くありません。現実には、関西では明るいニュースが増えていますし、筆者の周りの人々も以前より自信を持っているように思えます。

もちろん、新型コロナウイルスの影響を関西も受けています。しかしながら、関西の最近の明るい話や実力を踏まえれば、これは克服可能であり、一時的に落ち込んだとしても、十分に復活できると思っている関西人は多いです。

では、その関西の魅力とは？　いろいろな角度から見てみましょう。

米国総合不動産サービスのＪＬＬ（ジョーンズ ラング ラサール）が、２０１９年４月に発表した「都市活力ランキング」によると、ホテルやオフィスなどの商業用不動産のカテゴリーの勢いにおいて、大阪は世界１３１都市中、堂々の１位にランキングされました。

図1-1

図1-1 **世界の都市活力ランキング**
商業用不動産 上位5都市(世界131都市中)

2019年の順位	都市名
1位	大阪
2位	アテネ
3位	ブダペスト
4位	福岡
5位	アムステルダム

＊オフィス需要、オフィス賃料、リテール賃料及びホテル客室料金の直近の変動率及び予想される変動率(%)に関する変数に基づく。また、国際小売企業のプレゼンス、商業用不動産直接投資総額、不動産透明度も含まれる。

資料:JLL「2019年版 シティ モメンタム インデックス」商業用不動産のモメンタム

大阪の底堅いオフィス需要や２０２５年大阪・関西万博開催決定によるインフラ整備、再開発の増加に対する世界の期待が大きいと言えます。

不動産業界のプロが、当面有望な不動産市場は中国でもインドでもアフリカでもなく、大阪が世界トップと言っているのです。もちろん翌年の順位は変わるかもしれませんが、一度でも世界のトップに立てたというのは、非常に価値のあることではないでしょうか。

銀行や不動産業界の方に聞くと、世界中の不動産ファンドから「関西で不動産投資をしたいのだが、いい土地はないか」と相談されることが増えているようです。

実際、土地価格を見てみると、2019年の関西地区の「路線価」は、4年連続の上昇となっています。特に大阪では、市内の路線価で、前年比40％近くの価格上昇エリアが登場しています。路線価が上昇した3大エリアは、代表的な繁華街の「キタ・ミナミ」、おおさか東線の開業によって利便性が高まった「新大阪駅周辺」、そして万博開催が決まった「ベイエリア」です。

新大阪駅は、2019年3月に「おおさか東線」が全線開通し、奈良方面への直通列車が運行したことで注目が集まっています。今後は2031年「なにわ筋線」開通で関西国際空港までのアクセスが改善するほか、2037年にはリニア中央新幹線が名古屋から新大阪まで延伸する予定。また、2046年には北陸新幹線が新大阪まで延伸する計画もあることを考えると、新大阪の利便性はさらに向上しそうです。代表的な繁華街である大阪駅近辺のキタ、心斎橋や難波などのミナミも軒並み上昇しています。

今後、注目されるのは2025年大阪・関西万博などの影響が期待されるベイエリア、人工島の夢洲《ゆめしま》、咲洲《さきしま》です。会場予定地の夢洲には、今回新たに路線価が14地点設定されています。ベイエリアの人気は今後さらに高まると考えられます。

また、米国の大手旅行雑誌「コンデ・ナスト・トラベラー」が、毎年秋に発表する読者投票ランキングがあり、2019年度は「世界で最も魅力的な大都市ランキング」で、1位に東京、2位に京都、5位に大阪が入りました。日本の3都市が同時にベスト10に入るのは初めてです。特に、大阪が前年の12位から大きく順位を上げていることは、注目に値します（東京・京都は前年と同順位）。図1-2

評価のポイントは、京都が「深く息づく伝統の中に新たな文化が生まれている点」、大阪が「その土地ならではの食の魅力や熱狂的な野球文化」となっています。それぞれ魅力や特徴がとても明確です。

さらに、英「エコノミスト」誌の調査部門がまとめた、世界主要140都市を5つの基準で評価する「世界で最も住みやすい都市」2019年度ランキングでは、4位に大阪が入り、一方で東京は7位と、東京を上回る評価を得ています。ちなみに1位は2年連続でウィーンが獲得しています。図1-3

図1-2 **世界で最も魅力的な大都市ランキング**

2019年の順位	2018年の順位	都市名
1位	1位	東京（日本）
2位	2位	京都（日本）
3位	7位	シンガポール
4位	4位	ウィーン（オーストリア）
5位	12位	大阪（日本）
6位	–	コペンハーゲン（デンマーク）
7位	15位	アムステルダム（オランダ）
8位	9位	バルセロナ（スペイン）
9位	–	台北（台湾）
10位	6位	シドニー（オーストラリア）

出典:Condé Nast Traveler（コンデ・ナスト・トラベラー）
Readers' Choice Awards 2019 米国版ランキング
TOP 10 LARGE CITIES in the WORLD（米国を除く）

図1-3 **世界で最も住みやすい都市ランキング**

2019年の順位	都市名
1位	ウィーン（オーストリア）
2位	メルボルン（オーストラリア）
3位	シドニー（オーストラリア）
4位	大阪（日本）
5位	カルガリー（カナダ）
6位	バンクーバー（カナダ）
7位	東京（日本）
8位	トロント（カナダ）
9位	コペンハーゲン（デンマーク）
10位	アデレード（オーストラリア）

出典:The Economist Intelligence Unit
The World's Most Liveable Cities, 2019

大阪の訪日外国人は5年間でなんと3倍増

「ミナミ」の中心に位置する心斎橋筋商店街は、流行語ともなった「爆買い」で2015～2016年頃、一世を風靡《ふうび》しました。2020年に入ってからも、新型コロナ禍の前まででは「ここは海外か？」と見紛うばかりの訪日客で通りは溢れかえっていました。

たとえば日本ブランドのシューズを扱うお店に入っても、中国語、韓国語、英語は聞こえてきますが、日本語で話す人は皆無。外国人のお客様が、言語対応できる店員さんを相手に、それぞれお目当てのシューズを熱心に検討するというのが日常の風景です。もともと心斎橋筋はネオンサインがまぶしく、日本というより、東南アジアのような雰囲気があるのですが、アジア系の旅行者が増えて、エキゾチック感が増しています。先日、たこ焼きを買ったところ、店員さんは筆者に中国語で話しかけてきました。

大阪府を訪れた訪日客数は、2014年に376万人、それが2018年には1142万人と、5年間で3倍以上に増加しています。これは日本全体の訪日客数（3119万人）

の約36％を占めるものです。また、この5年間の客数伸び率は、東京都の1・6倍（2018年1424万人）を大きく上回っています。図1-4

ちなみに現在の大阪を訪れる訪日客の国別内訳は、中国が4割、韓国が2割、台湾が1割で、この3か国だけで全体の7割以上と、東アジア中心の構成となっています。

しかも昨今は、ツアーガイドが旗を掲げて、ぞろぞろと団体客が移動するケースは少なくなり、何回もリピートしているような個人旅行者が増加していることは明らかです。

関西全体をとらえても、関西への外国人入国者数の推移は、2014年に対し、2018年は2・4倍とやはり右肩上がりです。特に大阪に次いで訪問率の高い京都では、新型コロナ禍の直前まで、訪日客による「オーバーツーリズム」（想定以上の客が集まることによる悪影響）が問題ともなるくらいにまで、観光業が盛り上がっていました。

今は新型コロナウイルスの影響で、インバウンドは減少していますが、観光関係者の中には、終息後はまたインバウンドは拡大すると見ている人が多数います。それだけ関西には観光コンテンツがたくさんあるということでしょう。こうした実力を考えると、新型コロナ禍が終息すれば、関西の観光業も「逆襲」することは間違いありません。

図1-4 **全国・東京都・大阪府への訪日外国人旅行者数の推移**

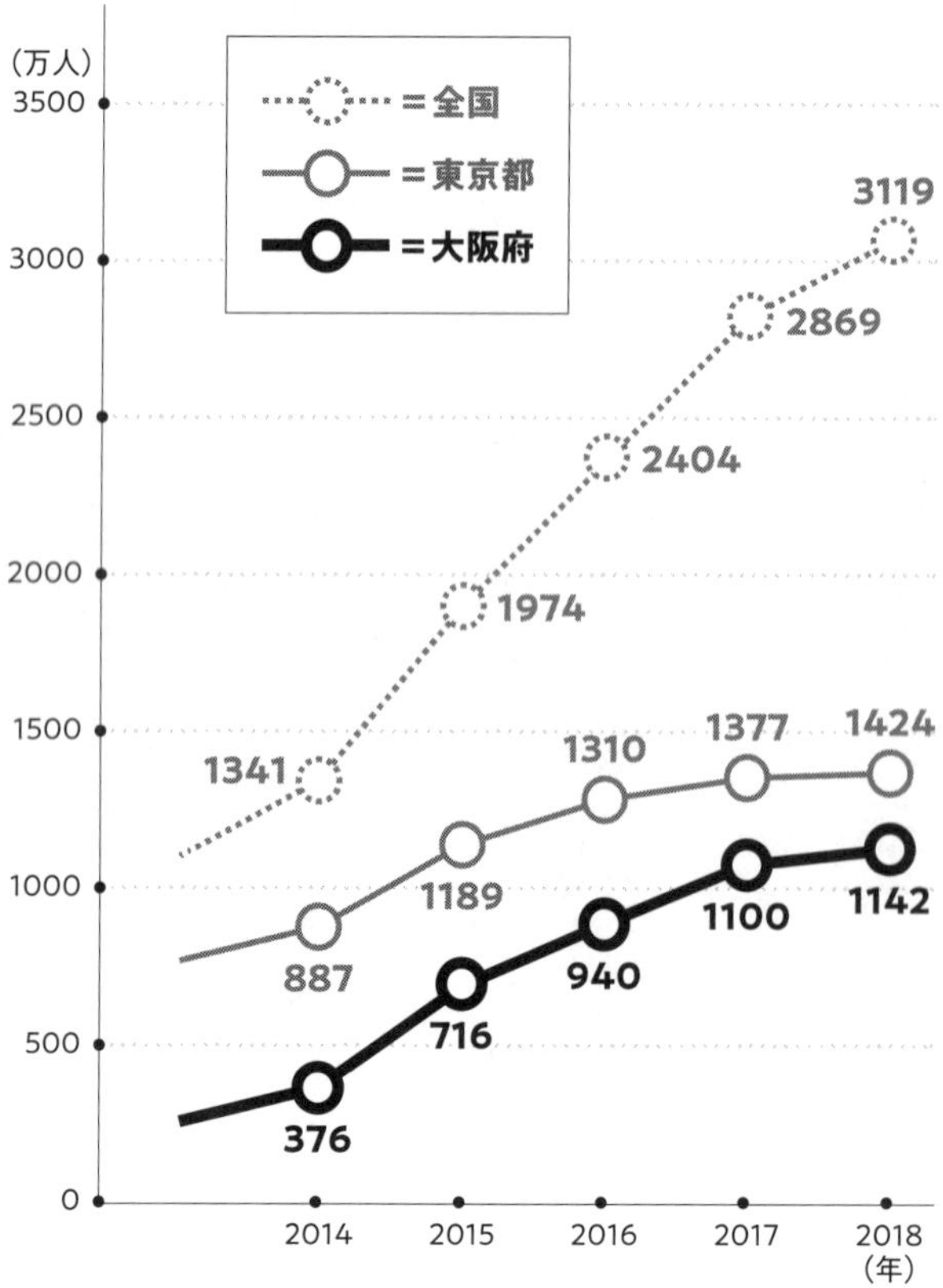

資料:JNTO、東京都、大阪府のデータに基づき作成

関西が日本の観光をリードする理由とは

では、どうしてこのように、多数の訪日客を関西が呼び寄せているのでしょう。これには以下のようなポイントが見られます。

世界で高評価！ 大阪の食と人情

大阪の人気スポットは、大阪観光局の2018年調査によれば、訪問者数ランキング1位が道頓堀（心斎橋・難波）で、以下、大阪城、ユニバーサル・スタジオ・ジャパン、日本橋、黒門市場と続きます。また、訪問地に大阪を選んだ理由は、「観光地」としての魅力に続き、「食事」が魅力的という回答が、「ショッピング」を抜いて2位になっています。これがリピート客増加にもつながっています。

実際、東京と大阪に住んだことがある何人かの中国人の方とお話ししたところ、東京よりも大阪の方が中国的な雰囲気があり、なじみがあるので、一度来ると何回も来たくなると言われました。

大阪のミナミには、心斎橋筋商店街に加えて、黒門市場という商店街が存在します。147店舗が連なる巨大商店街で、1日の客数が約3万人、その80％が外国人という、インバウンド誘引の大成功例です。和服姿の外国人向けコンシェルジュを配置したり、食べ歩きできるように串焼きにしたり、店先でテーブルサービスを提供するなど、多言語対応を含めて様々な工夫を凝らした結果、大阪の食を支える市場として「黒門」が訪日客にも知れ渡ることになりました。

10年くらい前までは地元の人が買い物をする、どこにでもある商店街でしたが、今は、食べ歩きをしたいという海外旅行者の意見を反映させて、食べ歩きのスポットとなりました。お客さんのニーズにすぐに対応する大阪商人の心意気を感じます。

関西国際空港がLCC就航都市日本一

2016年に民営化された関西国際空港は、運営権が関西エアポート株式会社に引き継がれ、2017年にLCC（格安航空会社）専用の第2ターミナルがオープンしました。

当空港がアジアからのＬＣＣのハブとなるべく、11か国31都市を結ぶ航路が就航していま す（２０２０年4月時点）。これは成田空港の18都市を大きく上回っており、関西国際空港の２０１９年度総旅客数は３０００万人を超える見込みです。

特に、アジアからのアクセスを容易にしていることで、目下の訪日客拡大を生んでいます。直近の計画によると、ターミナルの改修により、２０２５年までには年間４０００万人までの受け入れ拡大が想定されています。

関西国際空港がこれほどまでの人気空港になったのは、アジアの発展とＬＣＣの就航が関係していることは間違いありません。アジアの新興国が豊かになるにつれて、こうした国々でも海外旅行が盛んとなり、日本へ旅行したい人が増加しています。

そして、アジア各国から関西までのフライト時間は、東京よりおおむね1時間ほど短くなります。欧米からの10時間前後のフライトの場合、1時間は大した差ではないのですが、アジアからだと数時間で日本に来られる国もあり、こうした国にとって1時間の差は大きなものがあります。さらに、ＬＣＣは通常の飛行機よりも席の間隔が狭めであるので、少しでも早く外に出たいという旅行者も多いようです。

インバウンドが拡大する2010年くらいまでは、正直言って寂しい空港だったと感じます。しかし今では、土産物屋やレストランも増えて、世界有数の活気のある空港と言ってよいと思います。

大阪市が先んじて民泊条例を施行

2016年に国家戦略特区として、大阪市が民泊条例を施行し、簡易的な民泊運営ができるようになりました。2017年に宿泊期間が最低2泊3日まで引き下げられたことで、はずみがつき、特区民泊の大阪市の居室数は1万室レベルになってきています。これは、全国でも圧倒的にトップの民泊室供給量です（ちなみに2位が東京都大田区の572室
※居室数は2019年8月末時点）。

世界遺産、国宝・重文が集中

古い歴史を持つ関西は、文化的な遺産を多数抱えています。まず、ユネスコの世界遺産をみると、日本国内認定案件23件中6件が関西地区です。「法隆寺地域の仏教建造物」「姫

路城」「古都京都の文化財」「古都奈良の文化財」「紀伊山地の霊場と参詣道」に加えて、2019年には大阪府としては初めての世界遺産となる、「百舌鳥《もず》・古市《ふるいち》古墳群」が選出されました。

また関西には、全国の国宝・重要文化財建造物2497件のうち約42％が、国宝226件に限れば実に約71％が集中しており、まさに観光資源の宝庫です。図1-5

九州から関西に転勤してきた友人から面白い話を聞きました。彼は九州時代に国宝を見たことはほとんどなかったといいます。それが関西に来ると、すごく小さなお寺にも国宝があることが多く、お寺によっては、重要文化財の隣に重要文化財があって、その奥に国宝が何点もあるという状況に大変衝撃を受けたとのことでした。「世の中に国宝ってこんなにあるんだ」という彼のコメントは忘れられません。

モノ消費からコト消費へ

近隣の中国、韓国、台湾、香港からの訪日客がリピーター化してきた中、かつての「爆買い」は影を潜め、より多様な体験、日本ならではの経験がしたいというニーズが高まっ

図1-5 **全国の国宝・重要文化財数（建造物）**

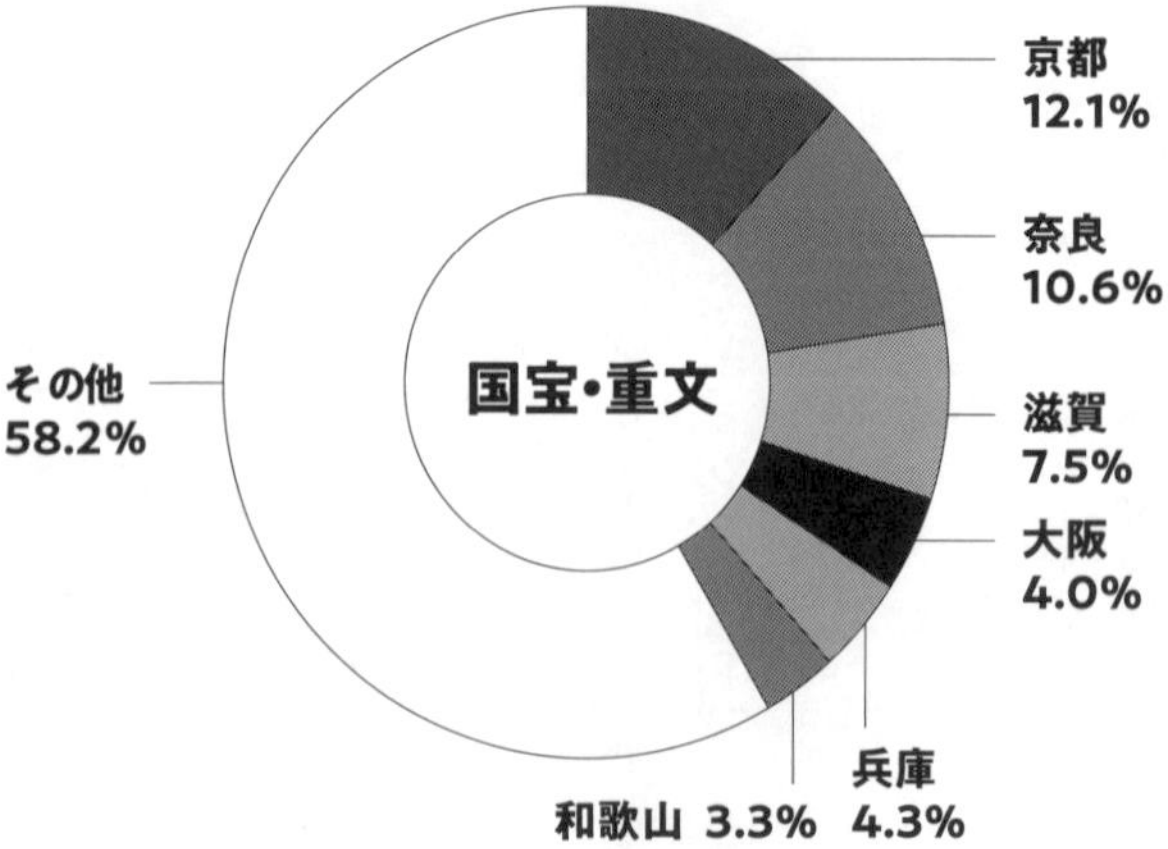

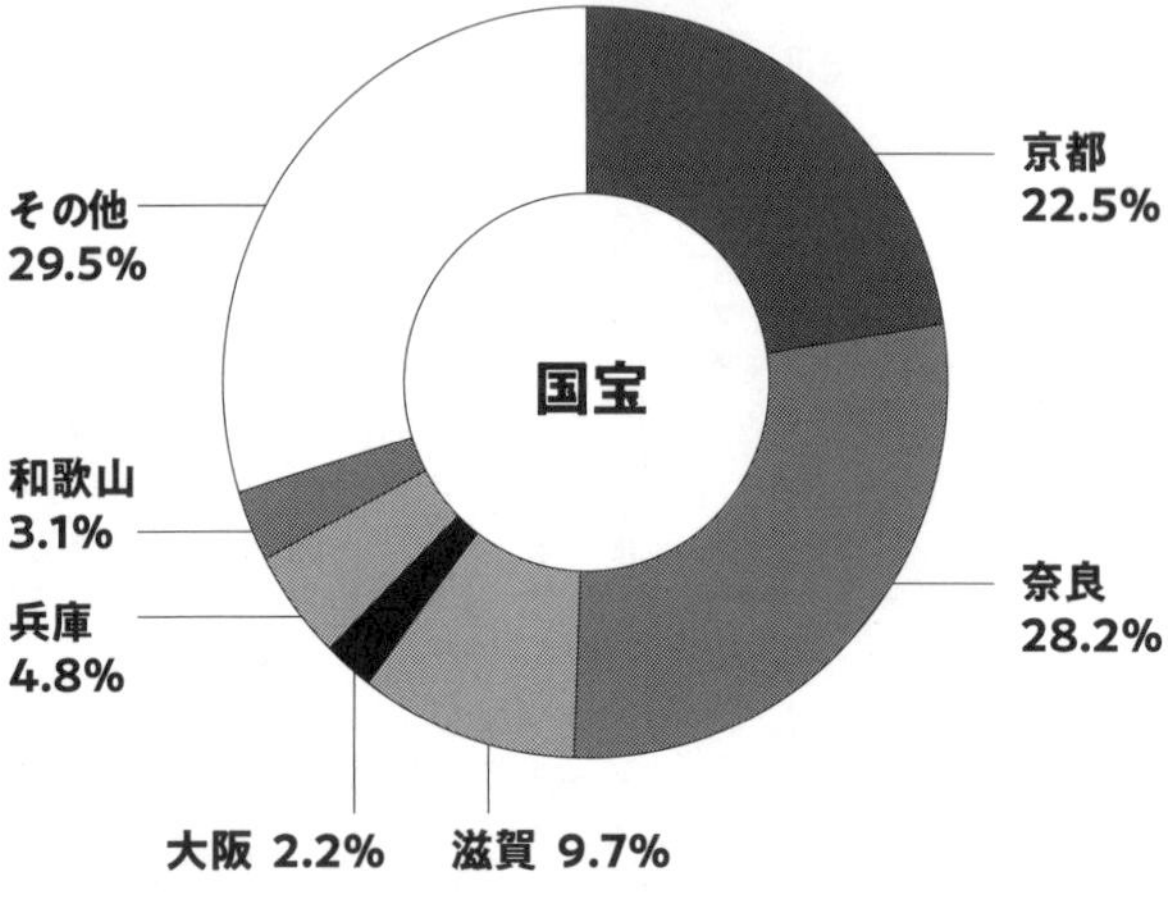

資料:文化庁　国指定文化財等データから算出(2020年3月)

ています。スキーやスノーボードなどのリゾート・スポーツ体験に加えて、写経や座禅、精進料理を味わえる「高野山の宿坊」といった、関西ならではの「コト消費」が人気です。

ほかにも、アート感覚を刺激する「京都の和食サンプルづくり」や、隠れインバウンドスポットとして人気を集める「カップヌードルミュージアム 大阪池田」での自分オリジナルのカップヌードルづくりなど、「コト消費」の体験内容は様々あり、インバウンド消費の次のあり方をリードしていると言えます。

訪日客の増加にともない、ホテル建設ラッシュが起きている

インバウンド増により大阪・関西が活況であることは、ホテルの建設ラッシュからも顕著です。ニッセイ基礎研究所のレポート（2019年）「都道府県別にみた宿泊施設の稼働率予測」によれば、訪日客の増加に対応するためには、2020年時点で大阪に2017年比1・4万室、2030年には1・9万室の客室増が必要と試算されています。

これに対し、阪急阪神ホテルズは、2019年に1032室の「ホテル阪急レスパイア

大阪」を開業しました。また、アパグループは2019年に900室を超える「アパホテル&リゾート〈御堂筋本町駅タワー〉」を開業し、さらに2022年末に1700室超のホテルを梅田で開業する計画も発表しています。

このように、2020年までに大阪では2万室のホテル客室の増加が予定され、大幅な拡大需要に応えようとしているのです。少し前までは、大阪でホテルが予約できないとの声も聞かれましたが、先述のように民泊も拡大し、ホテルの客室数も増えているので、これからは好みのスタイルで関西旅行がしやすくなるはずです。観光資源が豊富で、宿泊施設も様々あり、バックパッカーから富裕層まで誰にとっても楽しい関西になりつつあるのです。新型コロナ禍の終息後に予想される旅行ブームの準備はできていると考えることもできます。

スポーツが経済を引っ張る

日本中が熱く声援を送った、2019年のラグビーワールドカップの大盛況は、スポーツの新たな可能性を感じさせるものでした。日本－スコットランド戦の関東地区のTV平均視聴率は39・2％、南アフリカ戦に至っては41・6％を獲得し、チケット販売も「全会場満員」という目標に対し、99・3％とほぼ完売。

関西地区も神戸市御崎公園球技場とラグビーの聖地、東大阪市花園ラグビー場で大いに盛り上がりを見せました。ラグビーでの訪日客は40万人と推定され、ワールドカップ全体の経済波及効果は4370億円と言われています。

そして新型コロナウイルスで1年先送りとなりましたが、2021年には、東京オリンピック・パラリンピックへの訪日客が、この機会に合わせて関西を訪れることは当然期待されており、また同年、関西には「ワールドマスターズゲームズ2021関西（WMG2021関西）」が待っています。

WMG2021関西とは、2021年5月14日～30日に、関西を中心とした2府7県で開催される「世界最大級の生涯スポーツの国際総合競技大会」です。おおむね30歳以上であれば、世界中の誰でも参加できます。国際マスターズゲームズ協会が主催する大会で、4年ごとに世界各地で開催されます。公式競技は35競技59種目、今回の目標としては参加者5万人（国内3万人、国外2万人／150か国・地域以上）、大会開催に関わる経済波及効果は1461億円と試算されています（社会工学研究所算出）。

スポーツ庁と経済産業省が設置した「スポーツ未来開拓会議」の座長を務める早稲田大学スポーツ科学学術院の間野義之教授は、2019年のラグビーワールドカップ、2021年開催予定の東京オリンピック・パラリンピック、WMG2021関西を合わせて、2019〜2021年を「ゴールデン・スポーツイヤーズ」と呼び、スポーツによる関連産業活性化に火をつける3年間と位置づけています。

そもそも、日本のスポーツ産業の歴史は古く、ミズノの1906年（明治39年）の大阪での創業が草分けとなります。そのほかに関西には、アシックス、デサント、ダンロップスポーツ、ゼット、シマノ、エスエスケイなど、スポーツ用品メーカーが集積しており、関西のものづくり精神の中で成長してきたハイテク産業となっています。合わせて関西にはプロ野球、Jリーグ、Bリーグなどのプロスポーツや、野球やラグビーなどに代表される企業スポーツがあり、また大学にもスポーツ関連学部学科が多数存在し、これらもまたスポーツ産業の拡大に寄与しています。

今後のスポーツ関連市場は、スタジアムやアリーナを核とした街づくり、周辺産業としてのスポーツツーリズム、スポーツ×健康・ヘルスケア事業、IoTの活用などで大きな発展が期待されています。スポーツ庁は2012年に5・5兆円だった市場規模を、2020年に10兆円、2025年には15兆円にするという大きな目標を掲げており、スポーツ関連製品・産業の輸出や海外からの誘客をとりわけ重要としています（市場規模はスポーツ庁・経産省「スポーツ未来開拓会議中間報告」2016年6月より）。関西は、まさにその中核を担っているのです。

豊かな伝統文化と新たな文化戦略

関西は古墳時代に始まり、平城京遷都から1300年、平安京遷都から1200年余りもの間、日本の悠久たる歴史の中心でした。そのため自然から文化、芸能に至るまで、資源の宝庫となっています。歌舞伎、文楽、茶道、華道、食の伝統などが、歴史に育まれつついまも息づいており、関西が和の文化の源流をなしています。中でも、関西の食文化には「京料理」「発酵食文化」「だし文化」「日本酒文化」「喫茶文化」など、日本食の起源になったと言えるものが多数あり、観光客を惹きつける魅力ともなっています。

そしてこれから関西に大きなインパクトを与えるであろう、「文化庁の京都への全面的な移転」が予定されています。これはもともと、安倍政権の地方創生の一環である「政府機関の地方移転」という文脈から始まりました。政府機関の地方移転は結局、ほとんど実現しませんでしたが、なぜ文化庁の京都移転は可能になったのでしょうか。その背景には、京都の「執念」が挙げられます。

門川大作・京都市長は、「2002年に京都大学名誉教授の河合隼雄先生（故人）が長官に就任した時に強く念じ、まず長官分室を京都に開設した」と発言しています（日刊工業新聞2016年2月29日）。

さらに、京都の人々にとって、「政治・経済の首都は東京かもしれないが、文化の首都はいまでも京都」との思いがとても強いということがあります。世界遺産や日本遺産、祭りや伝統行事、伝統産業、食、映像、マンガ、アニメ、アート、音楽、ポップカルチャーなど、幅広い関西の文化に関する情報が世界に発信されるなか、関西は文化の力で日本創生をリードしていくことが大きく期待されているのです。文化庁が京都に移転することで、様々な文化的なイベントの関西開催が増えるとも言われています。

関西での一つの先行事例が、文化芸術の力で「小さな世界都市」を目指す兵庫県豊岡市です。日本の現代演劇を牽引してきた劇作家の平田オリザ氏が、豊岡市の芸術文化参与として参画され、仏アビニョンのような世界最大の国際演劇祭の実現を目指しています。その取り組みとして、まず2014年に城崎国際アートセンターを開設し、演劇を使った教育プログラムなどで地域との関係を深めています。さらに、県立国際観光芸術専門職大学(仮称)の開学が2021年4月に予定されています。これは演劇を全学生必修とし、地元から要望の多い観光人材の育成を目指す大学です。

このような中、特に子供や若い層で、豊岡に暮らすことに自信と誇りを持つ人が増え、観光、地場産業の鞄・農業に加えて、演劇の力で世界に打ち出せる地域となることが期待されます。京都のような大きな都市だけでなく、豊岡のような小回りが利く都市でも、独自の動きが見られるのです。

関西は「アホ」か？　～科学イノベーションの理想郷 関西～

関西には、「知の拠点」と呼ぶに相応《ふさわ》しいほど、非常に多くの最先端の科学技術基盤が集積しています。関西以外に住んでいる方は、関西と聞くと「お笑い」「食い倒れ」といったイメージが先行していて、科学や「知」とはかけ離れた印象を持つ方が多いかもしれませんが、その認識は改めていただく必要がありそうです。

京都大学、大阪大学をはじめ、関西には数多くの大学があり、人口千人あたりの学生数は関西が全国一です。兵庫県には、1秒間に100京回の計算を行えるスーパーコンピュータ「富岳《ふがく》」が設置される理化学研究所や、世界最高性能の放射光を利用できる大型実験施設「SPring‐8」、国内初のX線自由電子レーザー施設「SACLA」など、日本の中でもきわめて希少な施設があります。

また、大阪・京都・奈良にまたがる「けいはんな学研都市」には、3D映像で有名なNICT（情報通信研究機構）、多言語テキスト翻訳システムのATR（国際電気通信基礎技術研究所）など、キラッと光る個性を持った研究機関が多く立地しています。これらの施設が大阪を中心におよそ半径100㎞圏内にぎゅっと集まり、最先端設備とトップクラスの科学者が集結する関西は、世界でも屈指の先進科学技術エリアなのです。図1-6

ちなみに、大学通信によると（「エコノミスト」2020・1・21）、東京大学は地元の首都圏（東京、埼玉、千葉、神奈川）の合格者に占める割合が2009年度入試の43・3％から2019年度は55・8％にアップしており、関東ローカル化が進んでいます。一方で、京都大学は全国化が進んでいるようです。実際、大学通信によると、京都大学は関西圏（滋賀、京都、大阪、兵庫、奈良、和歌山）出身者の占有率が、2009年度の55・3％から47・6％に下がっています。

そういう意味では、関西で万博が開催されることは、必然と言えるかもしれません。関西の恵まれた環境を活かして、いまこの瞬間も多くのイノベーションの卵が次々に産み落とされています。これまでも多くの卵が大きく育って関西から世界へ発信され、海外諸国から賞賛を浴びてきました。そしていま、これまで私たちが見たこともない「イノベーションたち」の卵や、現在すくすくと育っている「イノベーションたち」がまだまだ無数に

福井県
◉福井大学
◉福井工業大学
◉福井県立大学
◉福井県工業技術センター
滋賀県
◉滋賀県立大学
◉滋賀医科大学
◉龍谷大学（瀬田キャンパス）
◉立命館大学（びわこ・くさつキャンパス）
◉長浜バイオ大学
◉長浜サイエンスパーク
◉滋賀県工業技術総合センター
◉滋賀県東北部工業技術センター
京都府
◉京都大学
◉京都工芸繊維大学
◉京都府立大学
◉京都府立医科大学
◉京都薬科大学
◉京都産業大学
◉京都府中小企業技術センター
◉京都市産業技術研究所
◉京都市成長産業創造センター
◉京都高度技術研究所
◉京都産業21
◉京都リサーチパーク
◉京大桂ベンチャープラザ
◉クリエイション・コア京都御車
京都府、関西文化学術研究都市（けいはんな）
◉同志社大学（京田辺校地）
◉京都府立大学（精華キャンパス）
◉京都府立農林水産技術センター 生物資源研究センター
◉量子科学技術研究開発機構 関西光科学研究所
◉国際高等研究所
◉地球環境産業技術研究機構（RITE）
◉情報通信研究機構 ユニバーサルコミュニケーション研究所
◉国際電気通信基礎技術研究所（ATR）
◉けいはんなオープンイノベーションセンター（KICK）
奈良県
◉奈良女子大学
◉奈良県立医科大学
◉近畿大学（奈良キャンパス）
◉奈良県産業振興総合センター
【けいはんな地域】
◉奈良先端科学技術大学院大学

資料:近畿経済産業局施策集
「JUMP UP! KANSAI」

図1-6　**関西地域の大学・研究機関等**

兵庫県、播磨科学公園都市

◉関西学院大学
◉兵庫県立大学
◉大型放射光施設Spring-8
◉理化学研究所
放射光科学総合研究センター
（X線自由電子レーザー施設
「SACLA」）
◉兵庫県立工業技術センター

神戸市、神戸医療産業都市

◉神戸大学
◉甲南大学
◉神戸学院大学
◉兵庫医療大学
◉兵庫県立大学
（神戸情報科学キャンパス）
◉理化学研究所 神戸事業所、
計算科学研究センター
（スーパーコンピューター「京」）
◉神戸医療産業都市推進機構
先端医療研究センター
医療イノベーション推進センター
◉次世代バイオ医薬品製造技術
研究組合 神戸GMP施設
◉高度計算科学研究支援センター
（FOCUSスパコン）
◉情報通信研究機構
未来ICT研究所

大阪市

◉大阪市立大学
◉大阪工業大学
◉発酵研究所
◉大阪産業技術研究所
◉大阪府立病院機構
大阪国際がんセンター
◉日本医療研究開発機構
（AMED）創薬支援戦略部
西日本統括部
◉医薬品医療機器総合機構
（PMDA）関西支部
◉大型蓄電池システム試験評価
施設（NLAB）

大阪府（北大阪地域）

◉大阪大学
◉関西医科大学
◉大阪医科大学
◉大阪薬科大学
◉大阪歯科大学
◉関西大学
◉国立循環器病研究センター
◉医薬基盤・健康・栄養研究所
◉彩都バイオインキュベーション
施設
◉千里ライフサイエンス振興財団
◉産業技術総合研究所
関西センター
◉技術研究組合リチウム
イオン電池材料評価研究
センター（LIBTEC）
◉理化学研究所 生命システム
研究センター（QBiC）

大阪府

◉大阪府立大学
◉大阪産業大学
◉大阪電気通信大学
◉大阪工業大学（枚方キャンパス）
◉近畿大学（東大阪キャンパス・
大阪狭山キャンパス）
◉摂南大学
◉京都大学（原子炉実験所）
◉大阪産業技術研究所

【けいはんな地域】
◉大阪電気通信大学
（四條畷キャンパス）
◉大阪大学大学院工学研究科
自由電子レーザー研究施設

和歌山県

◉和歌山大学
◉和歌山県立医科大学
◉近畿大学（和歌山キャンパス）
◉和歌山県工業技術センター

控えており、2025年大阪・関西万博で華々しくデビューしようとしています。そう考えると、何だかワクワクしてきませんか？

イノベーションについては、各地で面白い動きがたくさんあります。特に、京都で新しい動きが生まれています。2019年10月に吉野彰さんがノーベル化学賞を受賞されたのはまだ記憶に新しいところですが、これまで科学系分野のノーベル賞を受賞した日本人25人のうち11人が、京都大学に縁がある方だということはご存じでしょうか。工学部卒の吉野彰さんをはじめ、2018年生理学・医学賞受賞の本庶佑さん（医学部卒）、2012年生理学・医学賞受賞の山中伸弥さん（京大iPS細胞研究所所長）など、日本人のノーベル賞受賞者の中でも京都大学は強烈な存在感を発揮しています。

研究費や研究者数では東京大学の後塵を拝しながら、突出した研究者の多さでは東京大学に勝るとも劣らない京都大学。中央の権威から離れた自由な学風が、世界に例のない革新的な発見を次々に生み出しているのです。

民間企業に目を転じても、京都には個性的な「オンリーワン」と言われる企業が数多く存在しています。京都は「ベンチャーの都」とも言われるように、京セラ、任天堂、日本電産、村田製作所など、京都で生まれた世界的企業を挙げれば、枚挙に暇《いとま》がありません。

そしてそれらの企業は今も、本社を移転していません。京都に本拠を構え続ける理由、それは、ヒトの真似をすることを「マネシ漫才」と蔑み、独自のモノを生み育ててきた京都固有の文化を大事にしたい、京都を離れてはイノベーティブな企業文化が失われると考えるためなのではないでしょうか。このことも、京都がイノベーションの適地であることの証左であると言えます。

「ベンチャーの都」京都は今も輝きを失っていません。経済産業省の「大学発ベンチャー実態等調査」によると、京大発ベンチャーの増加数は、２０１７年度から2年連続で東京大学を上回り、２０１６年度時点からの増加数は61社と、国内大学で最多でした。

米国の起業支援大手プラグ・アンド・プレイ社（ＰｎＰ）も京都に注目し、２０１９年7月には、東京に次ぐ国内2か所目の拠点を京都に設置しました。ＰｎＰ日本法人の社長は次のように述べており、このコメントが京都の特長を端的に表しています。

「京都というブランドは海外でアピールできる。京都大学や市など産官学の連携が充実しているのも大きい。近年スタートアップ支援の取り組みがたくさん出ているのも追い風だ。

電子部品などものづくり産業も多く、ライフサイエンス産業も充実している」

京大出身者などの「ヒト」、世界トップレベルのメーカーによる「モノ」を中心に、イノベーションを生み出すエコシステムが形成されている京都は、まさに「和製シリコンバレー」です。このすごさは、今後、世界中からもっと注目されるに違いありません。

関西各地のオモロイ仕掛け

イノベーション創出のための仕掛けがあるのは、京都だけにとどまりません。関西各地で様々なチャレンジがなされ、次々に成功事例が生まれています。

そのうちの一つが「ナレッジキャピタル」です。ナレッジキャピタルとは、2013年にJR大阪駅北側にオープンした複合施設「グランフロント大阪」の中の「知的創造・交流の場」のことで、オフィスや会員制サロン、企業・大学の技術を紹介するラボ・ショールーム、シアターなどの施設から構成されます。サロンは会費が年間約10万円と決して安くないにもかかわらず、2千人の定員枠が募集開始後すぐに埋まり、空き待ちの状態が続いています。

入居企業が試作品を展示できる「The Lab.」では、ベンチャー企業が自社製品を展示したことをきっかけに人脈や交流が広がり、大企業との共同開発が始まるなど、ファンドからの資金獲得に繋がる事例が続出しています。

ほかにも、第一線で活躍する研究者による一般人向け講演会「超学校」、人材の発掘・育成のための「アワード」、新しい学びの場「New Education Center」など、様々な仕掛けが矢継ぎ早に講じられ、それらが着実にイノベーションへと繋がっています。たとえば、2017年4月に開設した先端テクノロジー実証の場「ワークプレイス」では、介護施設向け自動運転見回りロボットや、VRを活用したデジタル書道パフォーマンス、次世代のかき氷製造機といったプロダクトが続々と誕生しています。

先日、このサロンの会員の方が、関西出身で今は東京に居住している人を連れて行った時のことです。その友人にとって関西は古びた町というイメージが強かったようですが、JR大阪駅のおしゃれなサロンを見て、「ここがほんまに大阪か」と驚いたようです。関西といえば通天閣のド派手なネオンサインを思い浮かべるかもしれませんが、都会的で最先端なスポットも増えています。

先述の「けいはんな学研都市」（関西文化学術研究都市）も、いま最もアツいイノベーション拠点の一つです。まち開きから既に30年以上が経過しますが、その輝きは増すばかり。立地企業はいまも増え続けており、１４０超の企業・研究機関等によるオープンイノベーションの動きが勢いを増しています。

関西文化学術研究都市推進機構（「機構」）がマッチングイベントを開催したり、事業化支援のための「ＲＤＭＭ支援センター」を設置することで、立地企業・研究機関の交流をサポートし、次々に成果が生まれています。

たとえば、島津製作所が測定機器開発のプロキダイ社などと連携して「人の感情の数値化」に取り組んでいて、「どのような環境下で食事をすると心地よくなるのか」といった計測が実現しようとしています。また、空調機メーカーの木村工機は、イスラエルのスタートアップ企業エレガント・モンキーズ社と共に「照明調整による人の集中力向上」の実証実験を行っています。かつては、秘密保持のカベが企業間交流を妨げていましたが、「機構」のあの手この手の仕掛けが功を奏して都市内にオープンイノベーションの気風が根づき、都市内の交流だけでなく、海外企業との交流にまで発展しているのです。

最近私たちがお会いするベンチャー企業研究家やベンチャーキャピタリストからは、「地方のベンチャー企業の集積は関西や福岡に勢いがある」とのコメントもよく聞かれるようになりました。また、ベンチャー企業が自社の強みをプレゼンするピッチコンテストも、最近はほぼ満員になるケースが増えてきました。さらに、賞金総額1億円という、ド派手なイベントも出はじめています。東京は確かに多くのベンチャー企業がありますが、いま関西・大阪が必死で追いかけている状況です。

世界のライフサイエンスをリードするKANSAI

科学の中でも特に関西が大きな強みを持つのは、「ライフサイエンス」の分野です。

これには、日本の製薬業発祥の地とされる道修町《どしょうまち》が大阪にあり、現在も武田薬品工業や田辺三菱製薬、塩野義製薬など日本を代表する製薬会社が本社を構えているという歴史的な背景もあります。

最近でも、山中伸弥教授（京都大学）によるｉＰＳ細胞作製、理化学研究所（神戸市）における「加齢《かれい》黄斑《おうはん》変性《へんせい》」患者へのｉＰＳ細胞由来の網膜細胞移植、本庶佑教授（京都大学）と小野薬品工業（大阪市）によるガン免疫治療薬「オプジーボ」開発、澤芳樹教授（大阪大学）による心不全治療用「心筋シート」開発など、関西各地での最先端の挑戦が世界を驚かせています。

こうした関西の強みには、国も以前から注目してきました。２０１１年には「国際戦略総合特区」、２０１４年には「国家戦略特区」といった国家プロジェクトの一つに関西を指定して、ライフサイエンス分野の取り組みに対して規制緩和や税制優遇などのサポートを行っています。医薬品・医療機器の審査を行う医薬品医療機器総合機構（ＰＭＤＡ）の関西支部創設、創薬などの研究開発を推進する日本医療研究開発機構（ＡＭＥＤ）の西日本拠点創設をはじめとする多くの成果があがっています。

関西が持つ潜在能力を最大限に発揮するための産・官・学が一体となった取り組みも進んでいて、２０１５年には、関西経済連合会などの経済団体、８府県・４政令都市が参加する関西広域連合、そして15大学3研究機関から構成される「関西健康・医療創生会議」

が発足しました。テーマごとに分科会を運営しながら、活発な活動を展開しています。

健康・医療をテーマに掲げた新たなまちづくりも各地で進行中です。大阪府吹田市の「北大阪健康医療都市（健都）」では、健康・医療関連企業や研究機関を誘致し、国立循環器病研究センターを核とした先端医療クラスターづくりを進めようとしています。大阪市の中之島エリアでは「未来医療国際拠点」計画が進行中で、未来医療の創造を牽引する「R＆Dセンター」、実践を牽引する「MEDセンター」、共有を推進する「国際フォーラム」の3施設が2023年10月に新設される予定です。

江戸時代からライフサイエンス分野の先進地だった関西で長きにわたって蓄積されてきた様々な取り組みが、SDGs（国連の持続可能な開発目標）達成に向けた気運の高まりや超高齢社会の到来により加速し、大きなうねりとなっています。「いのち輝く未来社会のデザイン」をテーマとする万博においても、ライフサイエンス分野の関西のチカラが存分に発揮されると思われます。

万博は関西のものではない　～国家事業としての大阪・関西万博～

いよいよ5年後に迫る大阪・関西万博。大阪市のベイエリアにある夢洲を舞台として、2025年4月から半年間の開催予定です。2020年の秋頃までには、開催に必要な事業方針や考え方をまとめた基本計画が策定される予定となっています。

後でお話ししますが、夢洲というのはカジノ付きリゾートであるIRの誘致予定地でもあります。万博とIRを同時に呼べるということは、良い意味では大きなポテンシャルがある土地と言えますが、一方では広大な空き地とも言えるのです。図1-7

実は夢洲は、大阪市が2008年の五輪誘致に乗り出した際、選手村として想定していた場所です。2001年の誘致合戦に敗れ、その後は、一部がコンテナヤードとして使われているだけです。用地の大半は税収も使用料も入らないまま、塩漬けになっています。それだけに、厳しい財政事情が続く大阪府・市にとっては、夢洲の有効活用は大きな政治課題でした。だからこそ、万博とIRを誘致しようとしているのです。

図1-7 **夢洲の万博会場・IR誘致予定地**

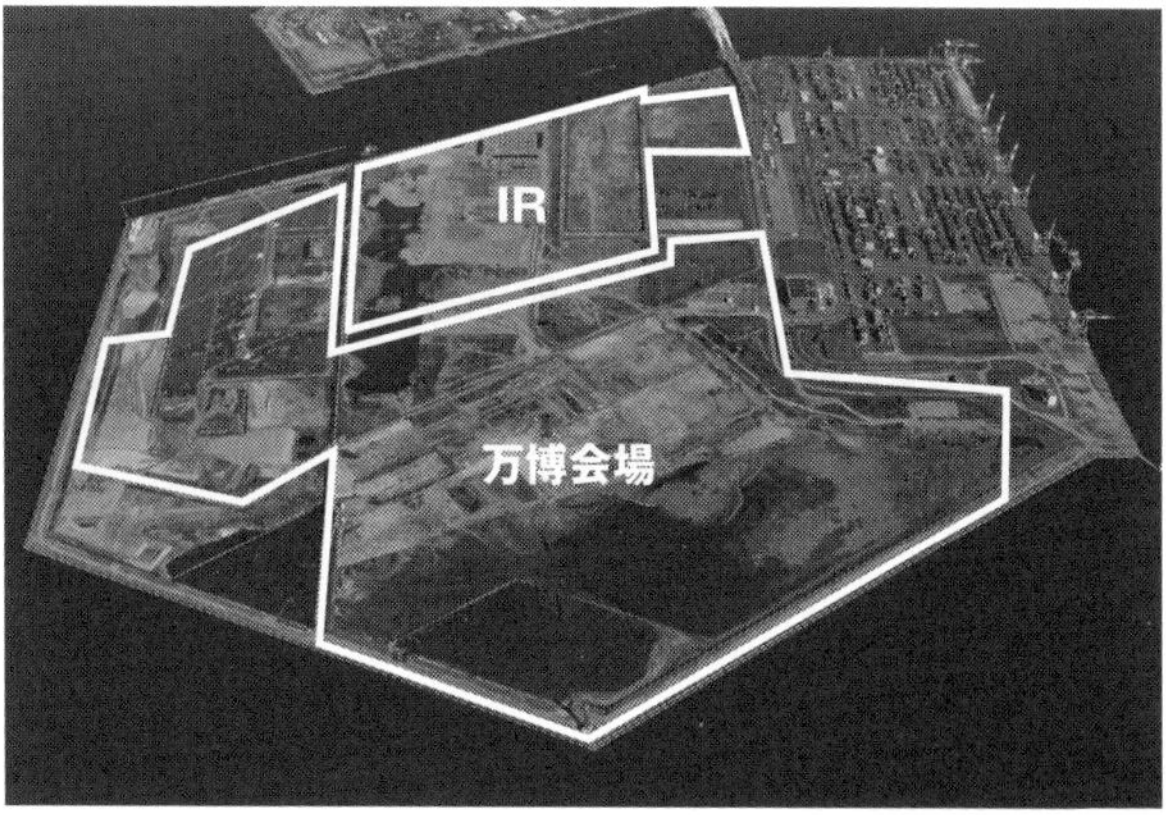

写真:大阪市港湾局
資料:「大阪IR基本構想」2019年12月大阪府・大阪市

夢洲が何の望みも持てないようなところであれば、まだあきらめもつくでしょう。ところが、夢洲は関西国際空港、神戸空港に近いうえ、大阪駅からも車で30分かからないという、非常に利便性が高いところです。それなのに、ずっと手付かずのままでした。筆者も高いビルから夢洲をみますが、今の空き地状態がなんとなくこれまでの関西の停滞を象徴しているようで、かなり残念な気持ちになります。

万博に話を戻しましょう。念のためにおさらいをしておくと、万博（国際博覧会）というのは、実は150年以上の歴史を持つ世界的なビッグイベントです。1851年にロンドンで開催されて以降、大規模で総合的なテーマを扱う「登録博」（以前の名称は一般博）と、特定のテーマに絞った「認定博」（以前は特別博）が、合わせて50回以上も開催されてきました。日本でもこれまで1970年（大阪万博）、2005年（愛・地球博）の2度にわたって「登録博」が開催され、日本の社会や経済に大きなインパクトを残してきました（愛・地球博については、「認定博」説もあり）。そして今回、わが国3度目の「登録博」として世界の期待を集めているのが大阪・関西万博なのです。

誤解されている方が多いのですが、オリンピックの主催者がIOC（国際オリンピック委員会）という国際機関であるのとは異なり、万博の主催者は各国の政府です。国際博覧会条約の事務局である博覧会国際事務局（BIE）に、万博開催の立候補ができるのは各国政府のみ。つまり、各国政府自らがナショナルプロジェクトとして万博を計画し、BIEに立候補しているのです。

2025年の大阪・関西万博について、関西以外にお住まいの方は、「何か関西の人たちが盛り上がってるなあ」といった程度の認識しかないかもしれませんが、実はわが国を挙げての国家事業なのです。世界が、そして日本政府が、万博開催地として大阪・関西を選んだとなると、万博や大阪・関西への見方も変わってくるのではないでしょうか。

２０１９年７月に経済産業省が取りまとめた報告書「『新しい時代の万博』の具体化に向けて」の中で、「ＳＤＧｓ達成＋ｂｅｙｏｎｄに向けた様々な取り組みを加速化することで国際社会に貢献する」「大阪・関西のみならず、日本全体にとってさらなる飛躍の契機にすべく、万博の機会を最大限に生かす」といった国としての強い決意が示されています。

万博の想定来場者数は約２８００万人（うち海外から３５０万人）です。日本経済に与えるインパクトはかなり大きく、東京オリンピック・パラリンピックに続く経済成長の起爆剤になることは間違いありません。

１９６４年の東京オリンピックと１９７０年の万博についていろいろな方とお話しして気がつくのですが、オリンピックを実際に会場で見た方、複数の会場で見た方というのはあまりいらっしゃいません。当然ながら競技場の大きさ、競技数等も限られるなか、多くの人々はテレビで体験しているというのが実情です。また、競技をしていない時間はスタジアムは当然閉まっています。オリンピックを体感した人は基本的に競技関係者、マスコミ関係者、ボランティアなどに限られています。

一方、1970年の万博は関西地区で特別な経験をしている人の多さに驚きます。月の石を見に何回も行った人、珍しい外国人にサインをねだった人など、体感している人が非常に多いという特徴があります。半年間、毎日朝から晩まで開催される、チケットを買えばだれもが見に行くことができるというのが万博のすごさです。筆者の感覚では、1970年ころに小学生以上であった関西人は、ほぼすべての人が万博を体験しているように感じます。中には、修学旅行や学校の旅行などで体験された方も多く見られます。

万博が開催されることで、万博会場や交通アクセス等のインフラ整備が進むばかりでなく、万博期間中は大量のヒト・モノが世界中から大阪・関西、そして日本全体へと流れ込み、大きな経済効果が生まれます。「2025年国際博覧会検討会報告書」においても、万博開催に伴う建設費、消費支出が約1・1兆円、その全国への経済波及効果は約1・9兆円と見込まれています。建設業、観光業、運送業、飲食業、人材派遣業といった業種を起点とした盛り上がりがその他の幅広い業種へも波及し、日本全体の経済の盛り上がりへと繋がることが強く期待されています。

万博の「夢は終わらねえ」

万博の開催期間は6か月間。万博が終われば祭りの後のように、元通りの大阪・関西、日本が残るだけなのでしょうか。多額の費用や労力を投入して開催する万博ですから、「楽しかったね」という一過性のイベントで終わらせてはなりません。実際に数年前から大阪・関西を中心に、万博のレガシー（偉大なる遺産）を未来に残し、さらに発展させていくための構想が積み上げられています。

先日、ある若手経営者が言っていました。「自分のおじいちゃんは1970年の万博で会社を大きくした。父親は1990年の『花の万博』で新しいビジネスを始めた。自分は2025年の万博で祖父や父親を抜きたい」とのこと。関西は元気が良い中小企業のまちです。こうした若手経営者は一人や二人ではありません。2025年万博を機に未来のソニーのような企業が出てくる空気が満ちています。

２０１７年には、大阪府・大阪市と地元の経済団体が「夢洲まちづくり構想」を策定し、万博の舞台となる夢洲を３段階に分けて整備する方向性を示しました。図1-8

夢洲１期エリアにはＩＲと呼ばれるカジノやホテル、コンサートホール、ＭＩＣＥ《マイス》（Meeting, Incentive travel, Convention, Exhibition/Eventの頭文字をつなげた造語）施設を設置し、万博会場となる夢洲２期エリアには、万博跡地に大規模エンターテインメント施設や最先端技術研究の実験場を、夢洲南側の３期エリアには長期滞在型のリゾート空間を作る内容です。

２０１９年10月、大阪府・大阪市は、内閣府「スーパーシティ構想」のアイデア募集に、夢洲を対象地とした応募をしました。詳しくは第３章で紹介しますが、「スーパーシティ」とは人口知能（ＡＩ）やビッグデータなどの先端技術を活用した都市のことで、大阪府・大阪市からは、夢洲などを国家戦略特区として幅広い地域課題を解決するという提案がなされました。具体的には、自動運転による需要に応じた交通運行、ドローンを使った配送、顔認証技術を活用したチケットレスサービス、といったアイデアです。

いずれの構想にも共通するのは、先端技術の実験場としての万博の意義をその後のまち

図1-8　**大阪駅周辺の再開発エリア**

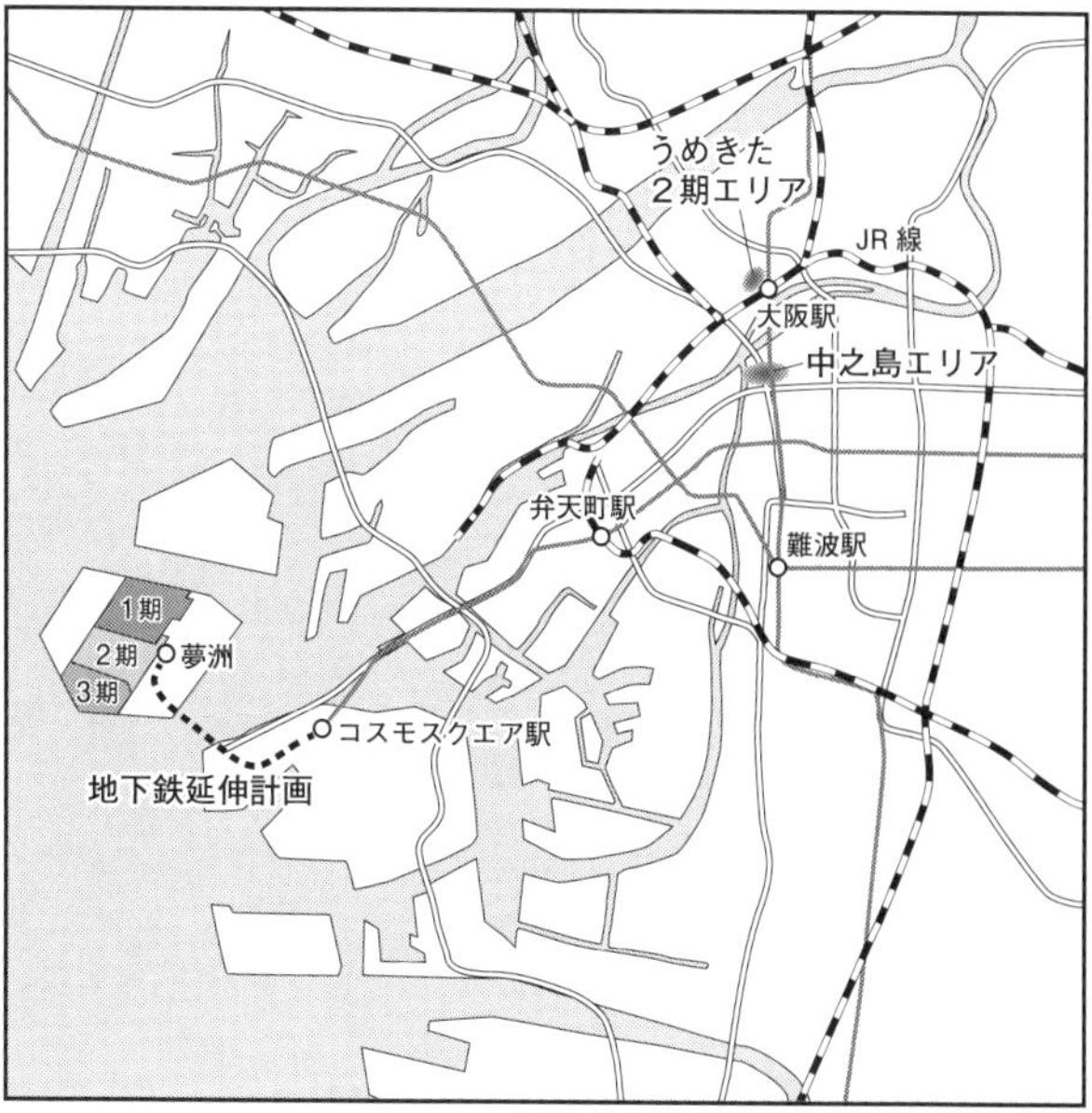

づくりに繋げていこうという、基本的な考え方です。夢洲は、大阪府・大阪市がIR候補地として考えている地点でもありますので、万博開催期間の前後にIRもオープンさせ、万博の成果を夢洲全体で活かしていこうとしています。

万博のレガシーは、夢洲以外の地点にも活かしていかなければなりません。実は大阪を中心に関西は多くの再開発案件があり、2025年前後に未来都市へと大きく変貌します。

まず、2024年の街びらきに向けて準備が進められているJR大阪駅北側の「うめきた2期エリア」があります。ここはもともと貨物列車の操車場の跡地で寂しいところでしたが、JR大阪駅に隣接している絶好のロケーションで、これからの飛躍が期待されています。ただビルをつくるのではなく、面積の半分を緑地化する予定で、みどりとスタートアップ企業などを活用したイノベーションを両立させようとする野心的なエリアです。

さらに、大阪駅から車で10分程度のところにある「中之島エリア」を再生医療拠点とする「アゴラ構想」なども進展しています。中之島は日本銀行や大阪市役所などがある大阪の中心部ですが、西側は大阪大学医学部附属病院が移転して以降、開発が遅れて寂しくなっていました。山崎豊子の小説『白い巨塔』は、中之島にあったころの大阪大学医学部附属病院がモデルだと言われています。そこに再生医療拠点がつくられると聞いて、年配の方々の中には「白い巨塔の復活！」と騒いでおられる方もいます。

このように、大阪・関西のビッグ・プロジェクトはまさに盛りだくさんと言える状態です。そうしたなか、日本中・世界中の都市開発やまちづくりとの相乗効果を目指していくことが重要です。そのためには、関西だけでなく全世界の力を借りる必要があります。

万博で見た「夢」を「夢」で終わらせず、日本・世界の「現実」にしていかなければなりません。まさに万博の「夢は終わらねえ」のです。

万博は「未来に会える場所」

1970年の大阪万博において、各企業は競うようにして最先端技術の実験的な展示を行いました。その中には、たとえば会場内の移動に使われた「動く歩道」や「電気自動車」、携帯電話の元祖である「ワイヤレステレホン」、迷子案内で活躍した「テレビ電話」など、後に広く普及したものも数多く存在します。万博はまさに、タイムマシーンに乗ったように「未来に会える場所」なのです。

今回の2025年大阪・関西万博のテーマは、「いのち輝く未来社会のデザイン」。関西は、そのテーマを実現するための「実験場」と位置づけられています。開催前から様々な企業・研究機関が先端技術の実証実験を、万博期間中にも実験的な展示を行います。特に万博会場である夢洲は、ほぼ更地で土地利用の制約が小さく、「未来社会の実験場」という2025年大阪・関西万博のコンセプトには最適な場所であると言えるでしょう。

では、今回の大阪・関西万博ではどのような実験が行われるのでしょうか。

具体的な内容は、2025年日本国際博覧会協会が有識者による議論を重ねているところですが、既に2019年6月の段階で大阪商工会議所が一定のアイデアを打ち出しています。その内容は、健康・医療分野では健康メニューが提供される健康レストラン、VR・ロボットによる健康増進プログラムを体験できるスポーツクラブなど。会場をデジタル化実験地区として、ウェアラブルデバイスによる生体情報システム、地域通貨（万博トークン）、ブロックチェーン等によるデータ経済圏を形成するというものもあります。

これは、デジタル空間と私たちが実際に生活している空間をうまく融合することで、便利さをさらに高めようとするものです。具体的には、万博会場にいるだけで、お財布を持たないですべての活動ができるほか、混雑を回避できるようなアドバイスがスマホに送られるといったことが検討されています。

足元でもより具体的な動きが出てきています。たとえば水素を動力源とするドローン。エアロジーラボ社は、プロペラを複数備えた軽自動車程度の大きさの機体を想定し、2024年はじめには人を乗せた状態での飛行試験を行う計画です。

また、大阪メトロと大阪シティバスは、自動運転で走る路線バスの実用化に向けて動き出しており、実証実験を経て2020年度に4路線で導入、大阪・関西万博では会場と駅との移動手段として活用する予定です。自動運転車を充電するためのワイヤレス充電システムについても、既にダイヘン社が大阪城公園などでの実証実験を重ねており、万博会場を移動する無人バスへの採用を目指しているほか、道路を走ったまま充電するシステムについても開発を加速させています。

今回の万博は、実は、万博の歴史を塗り替えると言われています。これまでの万博は来場者数ばかり気にしていました。しかし、2025年の万博は、開催前から世界中の課題やソリューションを共有できる「オンラインプラットフォーム」を立ち上げる予定です。

つまり、ネットとリアルを通じた来場者数は80億人を目指しているのです。大変スケールの大きい話だと思いませんか。

また、夢洲が空き地ということは、今はだれも住んでいないということです。これは、仮に24時間万博をしてもクレームをつける人がいないということです。IRは基本的に24時間営業であることを考えると、夢洲は決して眠らない町になりえます。ラスベガスのような不夜城が夢洲にできると考えると、いまからワクワクします。

こうした事例は数え上げるとキリがないほどで、5年後、そしてその先の未来に向けて大いなる盛り上がりを見せています。2025年、大阪・関西は未来を体験できるショールームになろうとしているのです。

第2章

IR（統合型リゾート）のインパクト

IRの投資額は1兆円規模

2019年の後半以降、IRという言葉をよく耳にするようになりました。IR参入には大阪府・市が立候補しており、ほかの地域でも検討されています。そこで、IRの基本事項と、関西・大阪に与える影響について説明したいと思います。

IRとは、Integrated Resortの略称で、「統合型リゾート」と訳されます。ただ、リゾートと言っても風光明媚《めいび》な自然環境の中で、のんびり過ごす従来型のリゾートとは異なります。

[illegible]やアジアにあるIRは、ホテルや大規模な会議場・展示場、レストラン、ショッピン[illegible]ー、劇場などの多様な機能を備えています。つまり余暇を楽しむために訪れる観光客だけ[illegible]なく、会議に参加したり、展示場に足を運んだりする研究者、ビジネスパーソンも想定しているところが、これまでのリゾートとはかなり違う点です。

現在のところ（2020年4月時点）、国内にIRはありませんが、大阪府・大阪市のほかに、横浜市、長崎県などが誘致しようとしています。誘致する自治体は、観光による経済効果、つまり税収、雇用増、インフラ整備による地域の活性化を期待しています。

1拠点の投資額は1兆円規模とも言われます。近年では大手企業の生産拠点が海外に移り、国内への新たな巨額投資はなかなか見当たりません。それだけに、自治体にとっては、巨額投資への期待が大きいのでしょう。

余談ですが、「1兆円規模の設備投資」と言えば、思い出すのは「21世紀のコンビナート」と言われたシャープの堺工場です。2009年、シャープの巨大な液晶工場と同じ敷地内に完成した関連企業の工場を合わせた投資額が、約1兆円でした。

大規模な会議場・展示場には、国内外から多くの研究者、ビジネスパーソンらが来ることが予想されます。インターネットの時代ですが、実際に顔と顔を合わせての意見交換や商談から、新たなビジネスが生まれる可能性も期待されています。

「カジノで稼いだカネを福祉に回す」

ただ、国際会議場や展示場などの公共性の高い施設は収益を生みにくいため、最近では収益源としてカジノを併設するのがIRのビジネスモデルになっているようです。このため、多くのメディアはIRのことを「カジノを含む統合型リゾート」と表現しています。

一方、カジノ開設によるギャンブル依存症、治安の悪化、マネーロンダリング（資金洗浄）などの問題も指摘されています。ほかにも、カジノ開設については問題も多く、反対する声は少なくありません。

2019年12月には、日本でのIR参入を目指していた中国企業側から賄賂を受け取っていたとして、元内閣府副大臣（IR担当）の衆議院議員が収賄容疑で逮捕されました。2020年1月時点、野党はカジノ廃止法案を提出して攻勢を強めています。

では、なぜ政府はそこまでしてIRを導入しようとしているのでしょうか。これまでのカジノを含む統合型リゾートを巡る議論をたどりながら考えてみましょう。

そもそもカジノを設置するには新しい法律が必要でした。日本の刑法は賭博を禁じているからです。最高裁の判例には「勤労の美風を害する」「犯罪を誘発する」とあります。一方、競馬が合法なのは、刑法に「法令に基づく行為は罰しない」とあるからです。競馬について定めた競馬法だけではなく、競輪、競艇にも法律があります。

そうした中、カジノに関する議論に、最初の一石を投じたのは、1999年に東京都知事に就任したばかりの石原慎太郎氏でした。当時の都財政は厳しく、お台場の都有地にカジノをつくる構想をぶち上げたのです。石原氏は「競輪、競馬がよくて、なぜカジノがだめなのか。人も集まるし、収益で都も潤うじゃないか」などと語っていました（朝日新聞1999年6月26日）。

石原氏が投げた石は、各地に波紋を広げました。当時の自治体はバブル崩壊後の景気低迷、それに伴う税収減にあえいでいました。2002年7月の全国知事会では、カジノ賛同論が相次いだといいます。

当時の太田房江・大阪府知事も「経済再生特区」を掲げ、関西経済界と連携して、カジノの誘致に前向きの姿勢を示していました。特区の候補地としては、関西空港の対岸の「りんくうタウン」が挙がっていました。

このころには、カジノだけではなく、米ラスベガスを想定した多機能型のリゾート構想が議論の対象になっていました。今で言うＩＲです。

石原氏の構想を受け継ぐような形でＩＲを推進したのは、２００８年1月、大阪府知事に当選した橋下徹氏でした。２０１０年、国会にカジノ解禁法を推進する超党派の議連が発足した際、橋下氏は「カジノで稼いだカネを福祉に回す」と表明しました。これを機に、府の成長戦略にも「ＩＲの立地促進」が盛り込まれます（朝日新聞２０１４年10月17日）。

橋下氏は「大阪府と大阪市の二重行政の撤廃」を目的に、府と市を統合する「大阪都構想」を掲げました。２０１１年には、都構想に反対する当時の大阪市長に対抗する形で大阪市長選に立ち、当選を果たしました。

橋下氏が代表を務める日本維新の会（当時）は２０１３年12月、自民党などと、議員提案のカジノ解禁法案を提出しました。大阪府・市はその後、夢洲をＩＲ誘致の候補地に据えたのです。

カジノの占有面積はIR全体の3％にすぎない

では、ＩＲとは具体的にどんなものでしょうか。

ＩＲとは法律上、「特定複合観光施設」と呼ばれます。この言葉の通り、いろいろな観光施設が一つにまとった施設を意味します。つまり、カジノというより、「カジノを一部に含んだ様々な観光施設が一堂に会したもの」がまさにＩＲなのです。

２０１８年7月に成立した「特定複合観光施設区域整備法」（整備法）が、具体的な内容を定めています。この法律には、ＩＲが必要とする施設、設立までの手順、カジノ規制、カジノ管理委員会の設置などが盛り込まれています。図2-1

ＩＲに占めるカジノの割合は、全体の中でもごくわずかです。実は、法律ではＩＲのほとんどがカジノにならないようにしています。カジノはＩＲ施設内で1か所のみとされ、面積もリゾート施設全体の３％までと定められているのです。

図2-2をごらんください。ＩＲは会議施設や展示場、ショッピングセンター、娯楽施設

がほとんどの面積を占めて、カジノはそれほど目立たなくなっています。

日本のＩＲ構想にあって、海外のＩＲにないものがあります。それは、わが国の伝統・文化、芸術を生かした公演等による観光の魅力増進施設と送客機能施設です。海外のＩＲでは必ずしも地元の伝統文化の発信等を考えていません。豪華なリゾート地であればそれで十分とするものが大半です。また、海外のＩＲでは、ＩＲですべてを完結させ、ＩＲの外にお客さんを誘導することはほとんどありません。

これに対し、日本型ＩＲには送客施設が必要とされ、ＩＲに来たお客さんを全国各地の観光地に向かわせるような仕組みを求めています。具体的には、日本各地の観光の魅力をＶＲ（仮想現実）などで効果的に発信するほか、旅行計画を提案するコンシェルジュ機能も要求されています。それも多言語で提供しなければならず、ＩＲ側にかなりの負担を求めているのです。

また、ＩＲを開業する場所は最大３か所と定められています。つまり、３か所が決まってしまうと、もうそれ以上は日本にＩＲを作れなくなります。もちろん、法律を改正すれ

図2-1　**特定複合観光施設区域整備法の目的**

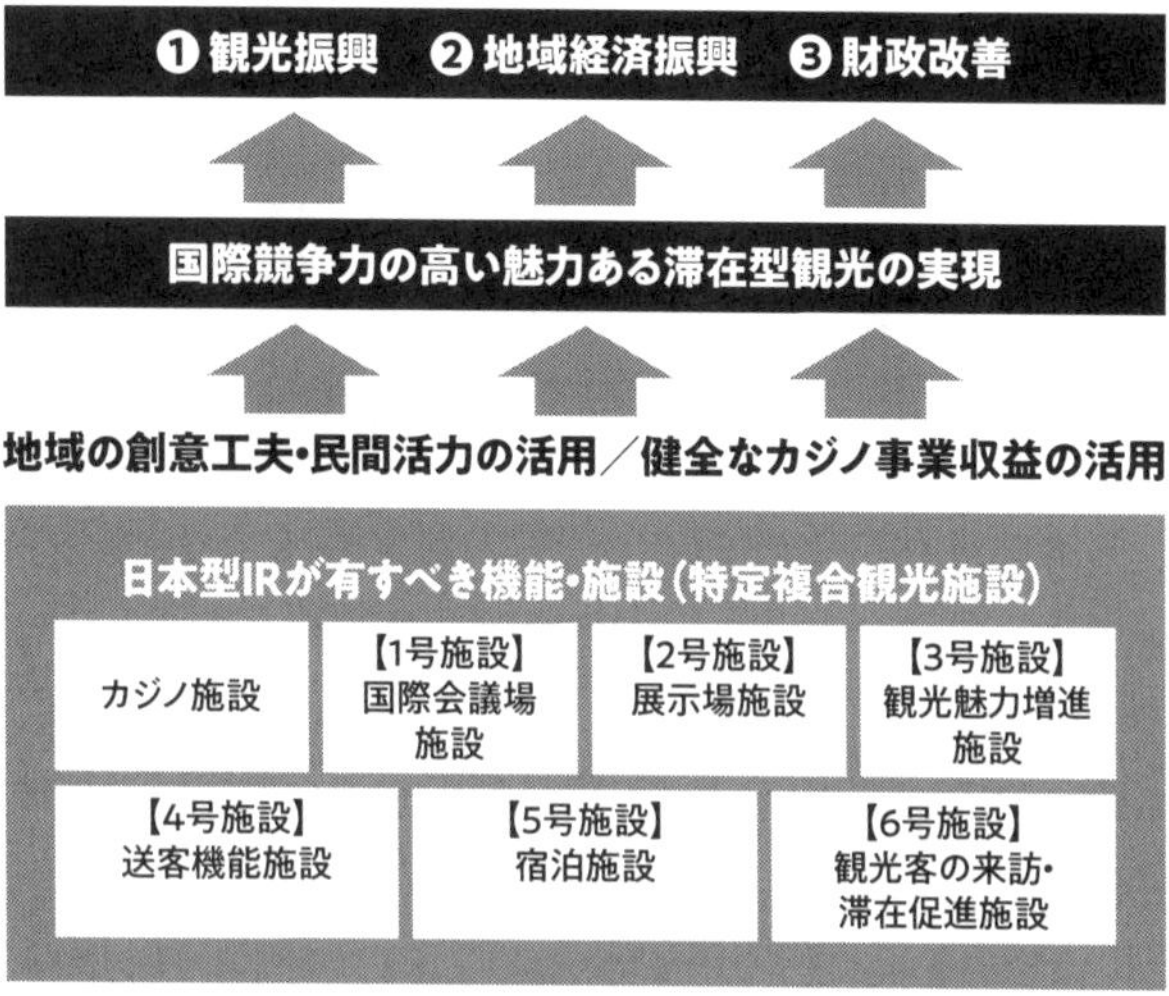

出典：「大阪IR基本構想」2019年12月大阪府・大阪市

図2-2　**IRの占有面積イメージ ～カジノは全体の3％**

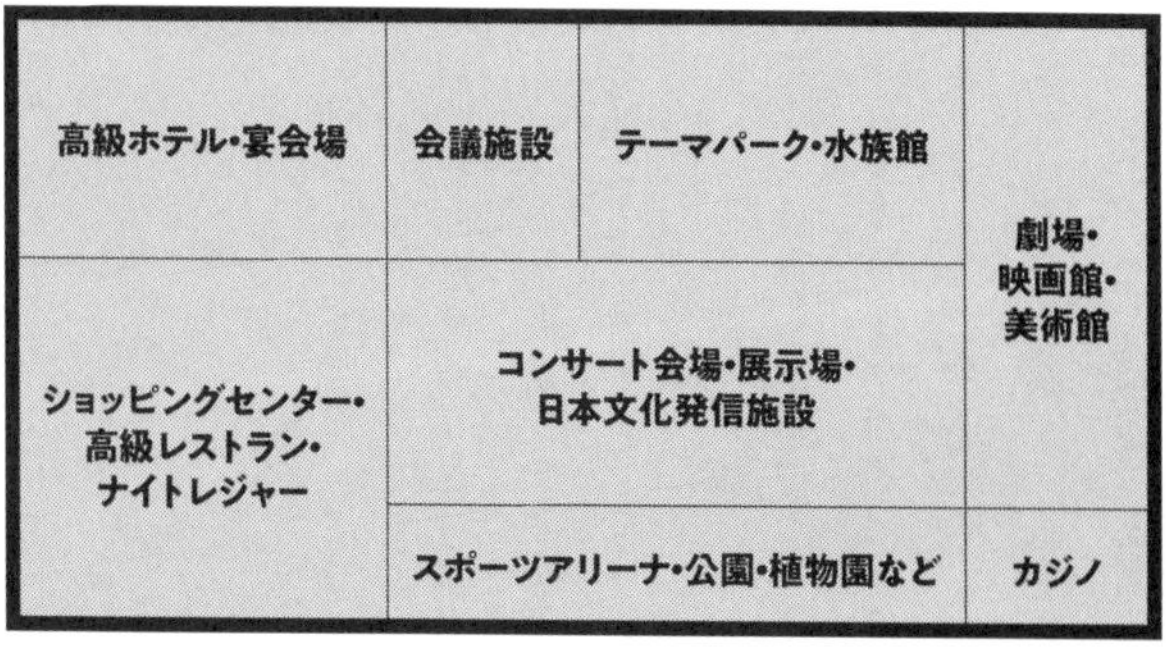

出典：「日本総合研究所」調査部資料

ば増やせますが、法律改正はとても時間がかかるので、ＩＲを作りたい企業や自治体は狭き門をめぐって熾烈《しれつ》な競争をしています。

ギャンブル依存対策

一方で、カジノはギャンブルをするところなので、様々な負の側面があることも事実です。特に、先にも触れたギャンブル依存症や、反社会的勢力の介入、治安悪化などを懸念する声はよく聞かれます。また、不正に儲けたお金をカジノを通じてマネーロンダリングするのではないかという懸念もあります。

カジノの負の側面をめぐってはかなり議論が進められています。政府も世界中のＩＲを調査して制度などを作っています。日本の依存症対策やマネーロンダリング対策は、世界的にみてもかなり厳格なものと言われています。

どのような規制があるかというと、一つは「入場制限」です。日本人の場合、連続する7日間で3回まで、連続する28日で10回までの入場に制限されます。本人確認、入場回数の確認方法としては、マイナンバーカードなどが使われます。20歳未満は入場できません。

日本人は、入場料・認定都道府県等入場料として、それぞれ1回ごとに3000円（計6000円、24時間単位）を支払わなければなりません。一方、カジノ事業者は、国への納付金として、カジノ行為粗利益（GGR）の15％と、カジノ管理委員会の経費負担額、さらに認定都道府県等にもGGRの15％の納付を義務づけられています。GGRとは、顧客の賭け金総額から顧客への払戻金を差し引いた金額です。

カジノに関する負の側面のなかで、一番懸念が多いのは依存症だと思いますが、それについて、知っていただきたいことがあります。シンガポールではIR導入を機に、ギャンブルだけでなく様々な依存症対策が進められました。たとえば、本人、家族、雇用主らの申請で入場を制限するなどの対策です。

依存症はギャンブル以外に、アルコール、ショッピングなど多岐にわたります。日本ではこうした依存症対策がこれまであまり進められておらず、シンガポールのようにIRをきっかけとして、依存症全体への対応を進めることが重要です。

カジノは欧州発、フランス革命の頃から

さて、ここまでＩＲやカジノの仕組みについて、やや堅苦しい話が続きました。少し視点を変えて、欧州と米国、そしてアジアのカジノの違いに触れてみたいと思います。

『カジノの歴史と文化』（中公文庫）の著作がある京都大学公共政策大学院の名誉フェロー、佐伯英隆氏によれば、現代のカジノの原型はフランス革命（１７８９～１７９９年）前後にまでさかのぼるそうです。

佐伯氏はカジノの成立について、「欧州では、賭け事をしたいという欲求を食欲や性欲と同様に現実のものと是認して、その欲求をどうコントロールするかを考えてきました。結果、合理的で透明性のある制度が整った」と分析します。

一方、アジアにおける賭け事は、「慈悲深いお上のお目こぼし」と指摘します。つまり賭け事は本来、いけないことなのだけれど、お上が認めれば問題ないという考え方です。まさに公営ギャンブルという言葉を思い起こします。

そういう事情が影響しているのかもしれません。欧州におけるカジノとは、そもそも貴族ら富裕層が集うサロン的な空間でした。賭け事が中心ではなく、華やかな社交の場であり、商談の場でもあったようです。厳格なドレスコードも規定されていました。

筆者（多賀谷）も4年前、仏ノルマンディーの海岸に立つカジノを訪れたことがあります。今から約40年前、恐らくは日本人初めてのカジノ経営者となった1人の女性の生涯を取材するためでした。

女性の名前は堤邦子氏（1928〜1997年）。西武百貨店などセゾングループの創始者で、辻井喬のペンネームをもつ作家・詩人でもあった堤清二氏（1927〜2013年）の妹です。日本ではあまり知られていませんが、彼女は長くパリに住み、西武百貨店の駐在部長を務めました。

エルメス、イヴ・サンローラン、ソニア・リキエル……。今では多くの日本人が知るブランドと契約を結び、日本に持ち込んだのは彼女でした。そのブランド数は50を超えます。彼女がファッション・デザイナーやブランドの経営者と親交を深めたのが、パリの社交界でした。彼女はカジノも好み、その華やかな舞台で人脈を築いていったようです。

そしてファッションに次ぐビジネスとして、カジノ運営を選んだのです。南仏に1か所と、筆者の訪れたノルマンディーの小さな町、トゥルーヴィルに1か所です。カジノ経営に乗り出すにあたっては、兄の清二氏と論争になったといいます。

清二氏の回顧録には、こんなくだりがあります。「カジノは大きな利権だし、セゾンの理念に合わない」と反対する兄に、妹は「日本人はギャンブルというと、チビた雪駄《せった》を履いて目を血走らせている、馬券売り場や競輪場の光景を想像するでしょうけど、こちらでは社交場なのよ」と、反論したというのです。半世紀近く前の話ですが、今もありそうな議論です。

トゥルーヴィルは19世紀以来の避暑地であり、パリの富裕層が夏に訪れる街でした。モネが海水浴客を描き、プルーストが小説『失われた時を求めて』の舞台の一つにした街です。現地で印象的な話を聞きました。「今はパリの富裕層も減りましたが、かつては彼らが自分の娘の結婚相手を探し、見定める場所でした」。また「スロットマシンが普及して、社交の場という雰囲気も薄くなりました」という話も聞きました。

そこには、米国やアジアのIRのように国際会議場も巨大な展示場もありません。筆者が訪れたときは、真冬だったせいもあり、観光客もほとんど見当たりませんでした。ただ、ドーバー海峡からの北風が冷たく、暖をとるために、小さなレストランに入り、スープを頼んだことを覚えています。

欧州では、フランスのほか、英国、ドイツにもカジノがあります。いずれもフランスと同じようにリゾート地や温泉地のリゾート施設に併設されていると聞きます。

このエピソードをご紹介したのは、カジノも様々で、欧州と米国では趣が違うということを伝えたかったからです。

米国とアジアのカジノ事情

では、米国やアジアのＩＲはどんなもので、どういう企業が事業者として運営しているのでしょうか。

世界的に見ると、１２０か国以上でカジノが合法化されていて、うちＩＲは米国とアジアに多く存在します。有名なのが、米ネバダ州ラスベガスです。ストリップ地域と呼ばれ

図2-3 **ラスベガスのカジノ**

写真:アフロ

る地域に40を超えるカジノが存在していると言われます。図2-3

ラスベガスは、もともと銀が多く採掘された地域でしたが、1920年以降、銀の産出量が減り、地域経済が衰退しました。砂漠地帯でもあり、産業の育成が難しいことから、州政府が1931年にカジノ解禁に踏み切ったのです。第2次世界大戦後、カジノを併設するホテルが相次いで建設され、世界有数の集積地となりました。

アジアでは、マカオのカジノが有名で、その歴史は、1847年のポルトガル植民地時代にまでさかのぼります。長らく1社独占状態のカジノ運営が続きましたが、1999年に中国に

図2-4 **シンガポールのカジノ**

写真:PIXTA

返還されたのち、2002年には経済を自立させるために他のカジノ事業者も参入が認められました。

以降マカオには米国勢が相次いで進出し、カジノを中心とする世界有数の観光都市として成長してきました。マカオ経済を支えているのは、中国、香港からの観光客と言われています。

最近ではシンガポールの存在感も増しています。3棟の高層ビルが巨大な船（空中庭園）を持ち上げているような映像を見た人も多いでしょう。「マリーナベイ・サンズ」と呼ばれるこのIRは、2010年に開業しました。周辺には、世界最大級のカジノのほか、ホテル、国際会議場、ショッピングセンター、レストラン、

コンサートホールなどがあります。図2-4

2018年の売上高、約3000億円のうちカジノが7割を占めています。このIRは米国のラスベガス・サンズ社が運営しています。全世界で8か所のIRを運営し、売上高は1兆5000億円に上ります。

そのほか世界的なIR事業者として挙げられるのが、米国のMGMリゾーツ・インターナショナル社です。世界で20か所のIRを運営し、売上高は1兆3000億円に上ります。MGMはオリックスグループと共に、大阪への進出を表明しています。MGMが大阪に注目するのは、観光資源が豊富な京都、奈良に近いからでもあります。

MICEに参加する外国人の総消費額は、一般観光客の2倍

IRを誘致する自治体・経済界は、MICE《マイス》機能にも期待をかけています。第1章で簡単に触れましたが、MICEとは「Meeting=企業等のミーティング」「Incentive travel=報奨・研修旅行」「Convention=国際会議や学会」「Exhibition/Event=展示会、イベント」

の頭文字をつなげた造語で、国際会議や展示場活用などビジネス需要を狙ったものです。

ＩＲ整備法施行令では、国際会議場、展示場の収容人数や広さを定めています。たとえば、国際会議場であれば、最大の会議室の収容人数はおおむね１０００人以上で、全体の収容人数はその2倍以上という条件です。展示場についても、会議施設の収容人数が１０００～３０００人であれば、「床面積の合計が12万平方メートル以上」などとしています。これは国内にある既存の施設でも、最大級と言えるでしょう。

政府のＩＲ整備推進本部の説明資料によると、諸外国のＩＲホテルの平均客室数が２４９５室であるのに対し、国内の大規模ホテルの平均は１５５４室しかありません。スイートルームの平均数でも、６１７室と28室と大きな差があります。

ちなみに、シンガポールのマリーナベイ・サンズのホテルは２５００室を超え、コンベンションセンターの広さは12万平方メートルあります。

ここで、国内で開かれる国際会議をみてみましょう。ＩＣＣＡ（国際会議協会）の統計では、世界的な国際会議の開催件数は増加傾向にあります。２０１８年の開催件数は前年比３％増の１万２９３７件でした。図2-5

開催地では、国際機関・学会の本部が多く置かれている欧州が約半数を占めています。アジア、中東地域も高い伸びを見せています。

日本の開催件数は世界7位の492件でした。アジア太平洋主要5か国（日本、中国、韓国、シンガポール、豪州）に占める割合は30％で、健闘していると言えます。ただ、国内の開催地では、首都圏が多く、東高西低が定着しているようです。

経済界がＭＩＣＥ機能に期待していることは、先にも触れました。国際会議のほか、展示会での商談などが、直接ビジネスチャンスになる可能性もあります。また、学会の開催に合わせて開かれる展示会もあります。最先端の学術、知見に触れる機会が多ければ、産学連携のきっかけになるかもしれません。

観光庁は、2016年に国内で開かれた国際会議＝ＭＩＣＥの経済波及効果は1兆590億円あったと算出しています。とりわけＭＩＣＥに参加した外国人の総消費額は平均33万6760円で、一般の観光客の約2倍に上るといいます。

工夫次第では、より多くの消費が期待できるという指摘もあります。

展示会やシンポジウム、学会に参加するために来日した訪日客は、昼間はなかなか会場

図2-5 **世界・日本の国際会議開催件数推移（ICCA基準）**

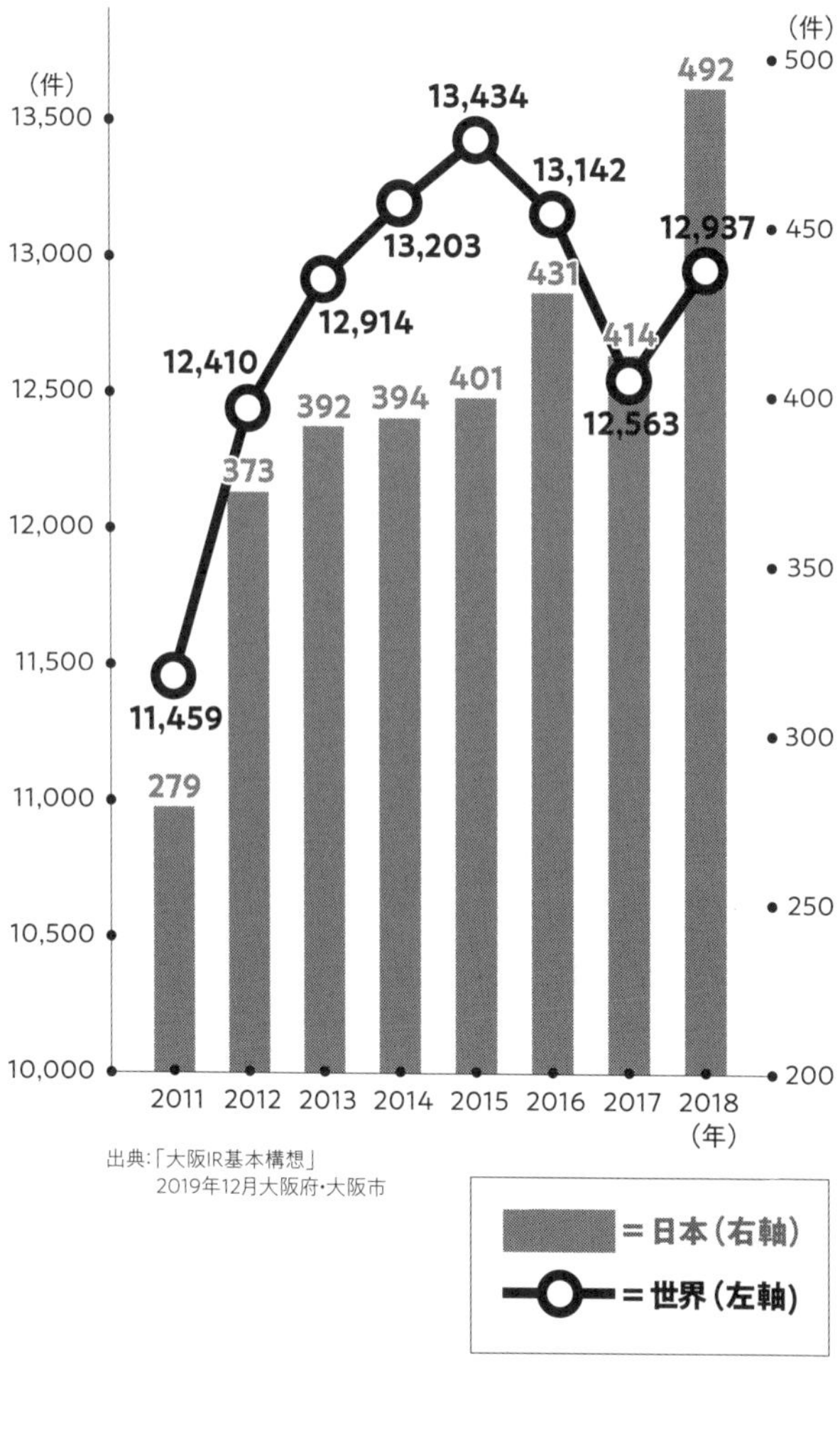

出典：「大阪IR基本構想」
2019年12月大阪府・大阪市

から離れることができません。プライベート、あるいは同僚や顧客と会食、懇親を深めるとしても夕刻以降になります。レセプションや交流会があれば、もっと遅い時間になるでしょう。

ところが、日本では、ナイトライフを楽しめる場所や施設が少ないと指摘されています。レストランのラストオーダーも比較的早いです。働き方改革が求められ、人手不足が深刻さを増すなかで、深夜まで営業するのは難しいのかもしれません。それでも、大きな国際会議、大規模な学会などが開かれるときに限り、営業時間を延ばす、あるいは事前に、人数と希望を確認しておくなど、工夫できることはあるかもしれません。

大阪が目指すＩＲ　～売上高４８００億円のビッグビジネス～

大阪府・市は２０１９年末、全国の自治体で初めてＩＲの事業者の公募を始めました。予定地の夢洲では、２０２５年に大阪・関西万博が予定されているため、相乗効果を期待する府・市はこれまで「万博開幕前の開業」を目指していました。とはいえ、工期の短さ、万博関連の工事と時期が重なることへの懸念も指摘されていました。

そこで府・市は「募集要項」のなかで「2026年度末までの全部開業を前提としている限り、開業時期は評価の対象としない」と記しました。つまり、万博閉幕後の開業を認めたわけです。これは現実的な判断でしょう。

募集要項では、IR事業者への費用負担、施設の機能などにも触れています。たとえば「事業期間は35年間」としています。負担すべき費用として、IR事業の実施に必要なすべての費用のほか、地下鉄の延伸費用202億円なども求めています。

それぞれの施設の容量としては、最大規模の国際会議室の収容人数は6000人、さらに同数以上を収容できる中小会議室群を求めています。展示室は10万平方メートル、宿泊施設は3000室以上を求めています。

大阪府・市がまとめた資料では、東京国際フォーラム（最大会議室・約5000人、総収容人数・約1万7000人）、東京ビッグサイト（11万5420平方メートル）という国内最大の会議場、展示場とほぼ互角の規模となります。宿泊施設3000室以上も国内最大の品川プリンスホテルと肩を並べる規模になります。

また、府・市がまとめた「IR基本構想」では、大阪のIRを「日本観光のゲートウェイ」と位置づけています。今でもアジアなど訪日外国人の多くが関西を訪問していることを踏まえてのことでしょう。IRを拠点に、京都、奈良、高野山といった日本の古都や寺社、伝統文化などの集積地だけでなく、瀬戸内クルーズへの拠点にするという構想もあります。

そして、来場者数や売上高の予想も掲げられています。いずれも海外の類似施設のデータから推計された数字ですが、年間の来場者数は1500万人、年間ののべ利用者数は、カジノ施設以外（ノンゲーミング施設）が1890万人、カジノ施設（ゲーミング施設）が590万人と推計されています。また、年間の売上高は4800億円で、このうちカジノ以外が1000億円、カジノの売上高が3800億円です。図2-6 図2-7

市民に理解されるIRを

大阪府・市、大阪の経済界は、2025年大阪・関西万博とIRに大きな期待を寄せています。筆者（多賀谷）は10年余、大阪・関西の経済、産業界を取材してきましたが、万

図2-6 **大阪IRの想定事業モデル**（※数値は概算）

敷地面積	**約49ha** （第1区域面積約70haより道路等の公共施設用地やIR区域拡張予定地を除いた面積）
投資規模	**9,300億円**
施設規模	**総延床面積　100万m^2** □国際会議場:1万2,000人対応 □展示場:10万m^2　□宿泊施設:3,000室など
年間来場者数	**1,500万人／年**
年間延利用者数	**2,480万人／年** うち　ノンゲーミング施設:1,890万人／年 ゲーミング施設:590万人／年
年間売上	**4,800億円／年** うち ノンゲーミング売上:1,000億円／年 ゲーミング売上（GGR）:3,800億円／年 ↓ 外国人:2,200億円／年 日本人:1,600億円／年 ※GGR（カジノ行為粗収益）…賭け金総額−顧客への払戻金年間売上

出典:「大阪IR基本構想」2019年12月大阪府・大阪市

図2-7 **大阪府・市における納付金・入場料等の収入見込み**（試算）

認定都道府県等納付金・入場料	**700億円／年** うち納付金収入:570億円／年 （GGR〔カジノ行為粗収益〕の15%） 入場料収入:130億円／年（日本人等に3,000円/回〔24時間単位〕を賦課） ※GGR（カジノ行為粗収益）…賭け金総額−顧客への払戻金 ※日本人等…日本人や本邦内に住居を有する外国人 ※別途、税収については150億円／年 （大阪府:70億円/年、大阪市:80億円/年） ※税収…法人府・市民税、事業所税、固定資産税、都市計画税等の概算

出典:「大阪IR基本構想」2019年12月大阪府・大阪市

博の大阪開催が決まって以来、大阪の経済界の雰囲気が変わったと感じています。

バブル崩壊以降、大阪発祥企業の本社機能の移転が相次ぎ、特に金融、小売り、製薬、家電などの業種の本社機能が東京へ移りました。在阪の企業も「設備」「雇用」「不良債権」の三つの過剰を抱え、リストラを迫られたり、生き残りをかけてライバル企業との合併を選択したりしました。

以来、東京一極集中をどう克服するのかが、大きな課題になりました。

いま、大阪で聞くIRへの期待は「とにかく誘致さえできれば」「開業できれば、大阪を活性化できる」という印象です。期待は理解できますが、綿密な収支計画、動員見通しが必要なことは言うまでもありません。政治的、社会的なイベントリスクを想定しておかなければなりません。

また、日本にIRが開業すれば、シンガポールやマカオも新たな競争相手の誕生に対応策を練ることになるでしょう。それはカジノだけではなく、国際会議、展示会、学会の誘致、アミューズメントの集客力など、様々な分野での誘致、集客競争の始まりです。開業後の世界は、決して甘くはないはずです。

京都大学公共政策大学院の佐伯英隆・名誉フェローは「IRのモデルとしてシンガポールを掲げるのは危うい。日本独自のモデルを探求するべきだ」と指摘します。また、カジノ以外の施設の運営費をカジノの収益だけに頼ることにも疑問を投げかけます。

規模にしても、集積数にしても、シンガポールやマカオと比べれば小さなものになります。だからといって、それを上回る規模のカジノをつくればいい、となれば本末転倒です。

では、独自のIRモデルとは、どのようなものでしょう。

たとえば、大阪・関西には、他にはない資産があります。京都、奈良、高野山、広島、瀬戸内などが持つ歴史・文化遺産と自然環境は貴重なものです。多くの訪日外国人がそれらを評価しています。それを見て、日本人も改めて、その価値に気づかされたはずです。こうした観光振興策の必要性はこれまでと変わりません。そうした価値をこれまで以上に発信することによって、他の地域からの日本への見方も変わってくるでしょう。

また、夢洲のIRだけにとどまっていれば、IR内にとどまる観光客の満足度も上がらないでしょうし、地元や他地域からの理解も得られないでしょう。市民が「あの人工島で起きていることはよくわからない」と感じるようでは厳しいものがあります。

筆者は東京に勤務していたとき、千葉県浦安市に住んでいました。東京ディズニーリゾート（ＴＤＲ）のおひざ元です。浦安市の成人式がＴＤＲの施設で開かれていることは、全国ニュースでも毎年のように取り上げられます。

これは筆者の推論ですが、あの成人式はＴＤＲのＰＲというより、浦安市民に「私はＴＤＲのある都市で生まれ育った」という気持ちを持ってほしいからではないでしょうか。

翻って、カジノを抱えるＩＲは、地元の市民に共感を得るのは容易ではないかもしれません。しかし、人気の高いリゾート施設は、都市に多くの税収をもたらします。

私たちが日常的に感じるのは、混雑した電車であり、渋滞する道路であって、税収の効果はなかなか市民には見えにくいですが、いま大阪府・市と経済界は、万博とＩＲに対して大きな期待を抱いています。

また、２０２５年に開かれる大阪・関西万博は、ＳＤＧｓ（国連の持続可能な開発目標）もテーマに掲げます。万博と同様に、周辺地域と連携しつつ、環境に配慮した新しいＩＲモデルが期待されます。

関西は一つ？　それとも一つひとつ？

足並みの揃わない関西

「関西は一つ？　いや、やはり一つひとつですか……」

関西の経済界、とりわけ大阪の経済人が言い訳っぽく使う言葉です。「一つひとつ」とは、関西では、それぞれの都市の自治体や経済界が連携せず、独自に動くことが多いことを意味します。よく引き合いに出されるのが、大阪、京都、神戸の3都市の立ち居振る舞いの比較です。

２０１８年11月、大阪・関西万博の開催が決まりました。この万博の誘致活動、開催の決まった後も、この言葉をよく耳にしました。万博は、政府が主導役となり「大阪・関西万博」という広域性を強調していますが、京都と神戸の対応は冷ややかにみえます。

そもそも２０２５年の万博誘致は、２０１４年９月、大阪府の松井一郎知事（当時）が府議会で誘致を表明して始まったことです。会場も大阪湾岸の人工島・夢洲で、大阪市が誘致に失敗した２００８年の幻の大阪五輪の選手村として整備したところという、イメージが良いとは言えない場所でした。

それだけに、大阪の政財界やメディアも含め、「いま、なぜ万博なん？」「万博って20世紀のもんやろ」などという反応でした。

ところがその後、徐々に「大阪・関西万博」が現実味を帯び、大阪府・市と大阪の経済界に万博への期待感が広がりました。一方、京都、神戸の基本的な立ち位置は変わらなかったように思えます。

これは万博に限らず、インフラ整備やプロジェクト誘致のために、首長や財界首脳が永田町や霞が関に訪れる際にも足並みがそろわず、政治家や官僚らからも「なぜ、まとまって来ないのか。関西は一つひとつ」と言われるそうです。

関西以外に住む人々には、「関西は一つ」に思えるかもしれません。実際、ＪＲ西日本の新快速に乗れば、神戸・三ノ宮駅―大阪駅間（約31キロ）は約20分、大阪駅―京都駅間（約43キロ）は約30分でつながります。東京駅を拠点とすれば、横浜駅（約29キロ）の約25分、大宮駅（約30キロ）の約30分と、ほぼ同じ距離感です。観光客は大阪に宿泊しながら、京都や神戸に日帰りで観光できます。

それなのに、なぜ「一つひとつ」なのかを考えると、この三つの都市が成立した過程、歴史の違いに思い至ります。ご存じのように、京都が都市として成立したのは、8世紀末の平安遷都までさかのぼります。以降の歴史は説明するまでもなく、長く政治・経済・文化の中心でした。

大阪が歴史の教科書に登場するのは、世界遺産に登録された百舌鳥・古市古墳群の時代でしょうか。といっても、近代の大阪を特徴づけたのは、江戸時代に「天下の台所」として経済の中心地になったことが影響しているように思えます。

この時期、「北前船《きたまえぶね》」と呼ばれる大型船が、北海道から日本海、瀬戸内の各都市を経て、大阪に入った物流ルートは、各地に様々な産業と文化をもたらしました。大阪の〝だし文化〟は北海道産の昆布がなければありえませんでした。

いまでは、東京を拠点にした物流ルートが当たり前ですが、当時は大阪が拠点でした。そうした富の集積は、豪商を誕生させました。井原西鶴、近松門左衛門らによる町人文化が花開いたのも、そうした都市の経済力があってこそです。

一方、神戸は新しい都市です。12世紀には平清盛による福原遷都が歴史に刻まれていますが、いまの都市につながるのは、幕末の神戸開港以来でしょう。以降、神戸は欧州の文化を吸収し、国際色豊かな都市として成長していきます。

言葉も違う3都市

以上、3都市の生い立ちを振り返ると、まさに「一つひとつ」です。

こうした都市の成り立ちの違いは言葉、方言からもうかがえます。

『関西弁講義』（講談社学術文庫）の著作がある山下好孝・北海道大学教授（日本語教育）は、「関西の言葉は京都を基本に形づくられていった」と言います。新快速に乗れば、それぞれが30分足らずの3都市ですが、言葉遣いが異なります。

山下先生は次のような事例を示します。

関西で使われる尊敬語の一つに「はる」があります。標準語の「いらっしゃいますか」は、3都市ではそれぞれ、

京都「い（や）はりますか？」

大阪「いてはりますか?」

神戸「おってですか?」

になると言います。

神戸では、「いる」より「おる」が使われるそうです。

ほかにも「何、言ってるの?」は、京都、大阪では「何、言うてんの?」ですが、神戸では「何、言うとお(言うとん)」となります。

これは、同じ関西とはいえ、神戸は中国、四国地方に近いからではないか、と山下氏は指摘します。


百貨店のスタッフが教えてくれた、3都市の買い物スタイルの違い

言葉だけではありません。消費の嗜好《しこう》、買い物のスタイルも異なると言います。

高島屋大阪店の婦人服担当の女性に聞いてみました。彼女は京都出身で、京都店でも部長を務めました。

まず、3都市それぞれに消費スタイルが異なると言います。

「京都の方は新しいモノ好き」なのだそうです。まだ店に入っていない新しいブランドの情報を耳にすると、なじみの販売員に尋ねてくると言います。

古都・京都の人が新しいモノ好きというのは意外でした。これは推測ですが、長い間、都が置かれた土地柄、全国から次々と新しいモノが集められたためでしょう。新しい情報、新しいモノへの興味、関心が刺激される遺伝子が備わっているのかもしれません。

ただ、一つのブランドに執着することは少なく、飽きっぽいとも言います。それでも、世界中のファッションの最新情報には敏感だそうです。

京都店の勤務が長かった彼女は、「大阪のお客様の好みを読むほうが難しい」と言います。なぜなら、「それぞれのお客様が自分の好み、価値観がはっきりしている。似合う、似合わないも自分でわかっている」からだそうです。はやっているから仕入れても、売れるとは限らないそうです。

また、もはや都市伝説とも言える「大阪のおばちゃんのアニマル柄好み」に代表されるような、大胆な柄を好むという傾向は本当だそうで、大きな柄にも抵抗がないようです。一方の京都ではほとんど売れないファッションだそうです。

神戸も京都、大阪とは異なるそうです。彼女は「かわいらしく、エレガントな雰囲気が好まれる。全体的にベーシックな服が多い」と見ています。素材、仕立ての良い物を選ぶ傾向もあるそうです。良い物を長く使う。京都と同じように、家族と一緒に住む女性も多いので、母娘が連れだって買い物をする姿も珍しくありません。

接客の仕方も、京都と大阪では違います。京都では、なじみにでもならない限り、お客様との距離が難しく、2度目の来店でも「先日は○○をお買い上げいただき……」と冒頭から話しかけるよりも、精算が終わって最後に「前回に続き、ありがとうございました」という接客が好まれるとのこと。一定の距離感が必要なのでしょう。

一方の大阪はまったく異なります。最初から、お客様に声をかけても、好意的に受け止めてくれる方が多い。それどころか、言葉の掛け合いが始まることも少なくないと言います。たとえば「おたく、どこの化粧品使ってるの？　私のええやつなんで、見本送るよ。住所教えてくれる？」。これは、彼女の体験談です。それだけ、販売員とお客様が身近なのでしょう。

消費性向の話が長くなりましたが、電車で30分の距離にある都市でも、こんなに違うのです。他の都市、地域ではないことでしょう。長年にわたって積み上げられた「都市の性格」のような気がします。そのことは、都市の特徴が残っているとも言い換えられるでしょう。

「関西は一つひとつ」なのは、歴史がつくり出した必然だと考えると、「関西は一つ」の方が無理があるようにも思えてきます。その一方で、大きなことを成し遂げるには、関西が一致団結することも大事です。万博を機に個性を生かすところと協力するところをうまく考えていかないといけないように思います。

あまり知られていないのですが、関西には「関西広域連合」という団体があります（関東連合とは全く関係ありません）。これは、関西にある政令指定都市や府県が協力し合う特別地方公共団体です。こうした都道府県レベルの広域連合は、なんと関西にしかありません。せっかくこうした貴重な仕組みがあるのですから、できることから協力していくべきでしょう。

第3章

スーパーシティ構想とは何か

名前はダサいが実はイケてるスーパーシティ

２０１８年、政府は「『スーパーシティ構想』の実現に向けた有識者懇談会」を立ち上げました。これは、ＩＴ、デジタル、データ、ロボット等最新技術を最大限活用した２０２０年代の未来型都市を、国内の数か所で、２０２５年をめどに作り上げ、日本の新たな成長の起爆剤にしようというものです。

移動面では自動走行やデータ活用による交通量管理・駐車管理、物流面では自動配送、ドローン配達、取引ではキャッシュレス、医療・介護ではＡＩホスピタル、オンライン（遠隔）診療・医薬品配達など、現在の規制や法制度を取り払った技術やサービスの具体化がスコープに入っています。

松井一郎大阪市長は、２０２５年大阪・関西万博開催を契機に大阪でスーパーシティを実現したいと、２０１９年９月に表明しました。大阪がスーパーシティの候補地としているのは、万博開催地の「夢洲」と、ＪＲ大阪駅北側で再開発が進む「うめきた」地区です。

政府の言葉としていつものことかもしれませんが、「スーパーシティ」という言葉はダサい。古いのです。日本人がこの言葉に初めて出会ったのは、おそらく40年前でしょう。1980年1月1日にリリースされた沢田研二の29枚目のシングル、「TOKIO」に、「スーパーシティ」という言葉が登場します。最先端のコピーライターであった糸井重里によるこの歌詞は、1980年代の東京が迎える国際化と、新宿をはじめとする都心広域化を先取りした未来感を表すのにぴったりでした。

それから40年を経て、臆面もなく「スーパーシティ」という古い語感を持ち出してきたわけですが、世界的な技術の潮流や市場の変化から見て、この「実証ではなく本物の街」をつくろうとしている感覚はイケていると思うのです。なぜかというと、技術や市場が糸井重里の「TOKIO」の未来感に追いついてきたからです。

これまでの「スーパーシティ」的な構想

かつて2000年代~2010年代前半にかけて、日本ではたくさんのスマートシティやエネルギー・情報通信にかかわる特区の構想が示されました。代表的なものとして、横浜・豊田・けいはんな・北九州の、いわゆる4地域スマートコミュニティ実証が挙げられます。ITやエネルギーに関する特区や街区開発も、千葉県の柏の葉をはじめ、枚挙に暇がありません。生活、ビジネスへのIT応用やエネルギーの自給自足、分散型グリッドなど、どれも当時非常に期待されていましたが、描いた絵に技術革新や社会変化がついていけませんでした。

ITについては、現在のスマートフォンのような高い機能と高速通信能力を持つ端末がまだあまり普及していませんでしたし、エネルギー分野でも、スマートコミュニティの中核である再生可能エネルギーや蓄電池、データ活用のためのスマートメーターやIoT基盤がまだまだ未整備でした。また、医療や教育にも、まだAIの恩恵は及んでいませんでした。これらのスマートコミュニティ、スマートシティ構想の多くが不発のまま終わったのは当然だったのです。

あれから10年余りを経て出てきたスーパーシティ構想は、コンセプト自体は過去の繰り返し感満載ですが、どっこいその間に情報通信、データ、AI技術とその市場環境、さらにプレーヤーとユーザーである我々自身は、劇的に変わっています。いまや消費生活と移動情報のほとんどをカバーできるスマートフォンが普及し、そこから得られるデータと行政や企業が持つデータを融合・分析するデータアナリティクスが確立されています。そして、それらテクノロジーの進化に対応して、行政、医療・介護、物流、金融・決済のサイバー化も進み出したことから、計画的に統合した新しいまちが実現する可能性が高まっているのです。

さらに、行政自体が取り組まなくても、様々なプラットフォーム構築やクラウドサービスを展開する企業、すなわちグローバルはグーグルやアマゾン、日本ローカルの有力企業としてはＤｅＮＡやメルカリなどが、そうしたまちづくりに強い意欲を見せています。

具体的には、たとえばカナダのトロント市が新しく開発する地区では、グーグルによるクルマの自動運転に加えて人と自転車の動きも追跡して最適化したり、建物・インフラについても共同溝の物流利用や地下道の公益利用を行うなど、企業と行政が連携してまちづくりを進めています。

中国の杭州《こうしゅう》でも、地元ベンチャーによる顔認証・キャッシュレス決済利用の無人コンビニや、アリババによる道路カメラのＡＩ分析に基づく交通違反通報と渋滞対策が進みつつあります。最先端テクノロジーのまちづくりへの応用が既に進んでいるのです。

夢洲の「デジタルアイランド」としての可能性

それでは、大阪・夢洲は、スーパーシティとしてどんなポテンシャルがあるのでしょうか。大阪府が２０１９年、政府のスーパーシティ構想に呼応するように踏み出したスマートシティ構想の中身と、そのステージとなる夢洲の役割について考えてみましょう。

夢洲は、大阪臨海部に位置する３９０ヘクタールの広さ（甲子園球場の約１００個分）の埋立地で、現在は、コンテナ埠頭《ふとう》やメガソーラー発電所が立地しており、周辺地区には、ユニバーサル・スタジオ・ジャパンや海遊館といったメジャーなアミューズメントスポットが建ち並んでいます。また、大阪市内や関西国際空港からの高速道路ネットワークが整備されています。

それだけ魅力があるにもかかわらず、大部分の土地はまだ利用されていません。これから新たな都市を実現していくには、更地である点は理想的です。

すでにお伝えした通り、この夢洲は、２０２５年大阪・関西万博の開催地であるとともに、ＩＲの誘致先として大阪市が立候補している場所です。それに向けて現在、２０２４年の完成を目標に、夢洲への地下鉄延伸をはじめとしたインフラ整備が急ピッチで進められています。夢洲は、万博やＩＲを起爆剤として、日本の他地域ではできないような、実験的なデジタルアイランドを目指すことが可能なのではないかと言われています。

では、デジタルアイランド・夢洲では何ができるようになるのでしょうか？

たとえば、ビッグデータ、データアナリシス、ＩｏＴなどのデータサイエンス、あるいはＡＩ、ロボティクスなど最先端の技術とのオープンな連携を可能にするＡＰＩ（アプリケーション・プログラミング・インターフェイス）といった革新的な技術の活用によって、サイバー空間とフィジカル空間が高度に融合した世界が誕生します。これにより、生活や産業は大きく変わると言われています。

すなわち、政府が提唱するＡＩやロボットなどの革新的技術による未来社会、経済発展と社会的課題解決の両立する社会「Society5.0」の実現へ向けて、人々の生活に大きく関わる環境・エネルギー、経済活動、交通、安全・安心、健康、行政、教育など複数分野にわたり、都市が抱える課題の解決に向けた新たな取り組みが見られると考えられます。

中でも、交通環境は、大きく変わる要素の一つでしょう。自動車業界は現在、「ＣＡＳＥ（コネクテッド・自動運転・シェアリング・電動化）」を中心とした技術革新が急激に進んでおり、この先、運転手のいない自動運転車、ライドシェアと言われる相乗りの普及なども進むと言われています。

具体的には、運転手がいないオンデマンドバスが街中を走り、ＩｏＴを活用して車とドライバー、あるいは車同士がネットワークで接続して、様々なサービスを車の中で受けることが当たり前になるかもしれません。高齢者や子供など、交通弱者と言われる人たちも自由にどこでも街中を移動できるようになるなど、渋滞緩和のために人や車を計画的に誘導できる環境が実現するかもしれません。さらにドローン技術の進化により、ドローンを使った配送の商用化なども具現化するかもしれません。

一部ではすでに行われていることですが、今後ますます、人の移動や行動に関する情報は、個人を特定できないビッグデータとして収集・蓄積され、マーケティング、防犯など様々なビジネスシーンで使われるようになるでしょう。そのような人の情報データの収集と活用については、ウェアラブルデバイスやW-i-F-i信号、ビデオ映像解析など、様々なアプローチで研究が進められています。特に、外国人観光客に対するサービスやビジネスという視点からは、インバウンド用データの収集・分析と、そのデータを使ったサービスが展開されるでしょう。

大学院生の取り組みから見える、未来の夢洲

大阪大学大学院生は2018年度、「未来技術を夢洲でどう見せるか」というテーマで研究に取り組み、成果を発表しています。以下、その内容から、未来の夢洲のありようを見てみましょう。

現在のVR（仮想現実）、AR（拡張現実）やセンサリングの技術により、極めてリアリティのある疑似体験ができるようになります。たとえばゴーグルとセンサーをつけることで、AI技術と組み合わせて、好きな女優やアイドルとの会話や触覚による触れ合いを

楽しめるようになるでしょう。

また、ロボット技術とＡＩを組み合わせれば、一人ひとりに合わせて社交ダンスを教えるＡＩ教師や、会話を楽しむ飲みロボなどが現れる可能性もあります。さらに、自分の若いころを振り返り、亡くなった親族に会ったり、懐かしい街を体験するといったことも、最新テクノロジーによって可能になるでしょう。アプリを使って事前にインプットされた情報を処理して、利用者に提供するというしくみです。

一方で近年、自然災害が多発し、甚大な被害が起こっていますが、現状ではすべての自然災害に対応できる汎用車両がなく、災害後の復旧・復興が遅れてしまうということも少なくありません。そこで、迅速な復旧・復興を叶えるために、〝トランスフォーマー〟（普段は作業車や運搬車だが、場所によって二足歩行にもなる米国映画のロボットをモチーフとしたもの）を、災害対応の新しいシステムとして提案しています。基本形は大型のロボットですが、様々な形に変形することによって、それぞれの災害に対応していくことができます。具体的には、土砂崩れで交通封鎖という状況では、ジェット機になって駆けつけた後に、多脚車に変形し、普通の車では通ることができない場所を通るといった具合です。

素早い情報収集やその後の具体的な救助までが一気通貫で行えることとなります。

こんな風にデジタル・アイランド夢洲にＩｏＴ、ＡＩ、ロボティックスが集積することで、次世代のスーパーシティが実現化していくのではないでしょうか。

未来型の大阪・関西の街のデザインはC2Cがカギを握る

次に夢洲から出て、スーパーシティとしての大阪・関西をより広域で描いてみましょう。未来型の大阪・関西の街とはどのようなものなのでしょうか？

まずは、スーパーシティ候補としての「うめきた」地区（ＪＲ大阪駅北側の再開発エリア）を中心として、キタ、中之島、ミナミといった都心部は、商業や業務に関わる機能が充実するなど、都心化がいっそう進むでしょう。

一方、２０２４年の街びらきを目指して開発が進められている「うめきた2期」地区は、緑あふれる公園をはじめ、水や緑、芸術・文化にも親しみながらまちなか居住を満喫できる、人々にとって魅力のある都市になると考えられます。

また、C2C（消費者間取引）サービスをベースに、居住や就業を支える新しいコミュニティがゆるやかにつくられていくと予測されます。周辺都市も、生活に必要な様々な機能が集積し、近接した効率的で持続可能なコンパクトな都市となっていくでしょう。

今後、IoT、AI、ビッグデータなどのデジタルに関するテクノロジーの進展により、生活を支える社会システムが大きく変化していく中、人々の生活を豊かにするカギになると目されているのが、C2Cサービスです。C2Cはインターネットを介した消費者間の取引によるビジネスモデルであり、生産者（Producer）と消費者（Consumer）を合わせた造語である「プロシューマ」の登場や、「シェアリングエコノミー」といったビジネスの仕組みを背景としています。

シェアリングエコノミーは、個人が所有する活用可能な資産を、インターネットを介して個人間で貸し借りや交換することで成り立つビジネス形態です。

C2Cサービスはすでに、フリマアプリのメルカリ、地域密着型サービスのジモティー、スキルシェアサービスのTIME TICKETをはじめとして、宿泊施設・民宿貸出、創作物共有、訪問介護など様々なサービスで展開されています。

これらのサービスは、提供したい人とそれを求めている人のマッチングを個人レベルでできることが特徴です。そのようなマッチングサービスにより、地域レベルで人々の新たなつながりが生まれます。

現在、人と人とのつながりであるコミュニティが失われてきていると言われて久しいですが、そのような希薄になったコミュニティが、C2Cサービスを通じて再生すると考えられます。さらには、人やモノの移動や行動のデータを利用することによって、ユーザーのニーズに合わせたオーダーメイドサービスや都市全体のサービス提供にも展開できる可能性があります。

地球全体で喫緊の課題となっている脱炭素社会、SDGsの実現に向けても関西は先進モデルとなる可能性があります。あまり知られていませんが、関西はわが国における未来エネルギー技術の最先進地です。現在各国で進んでいる再生可能エネルギー発電の普及中心の取り組みを一気に飛び越え、地球温暖化の原因と言われる二酸化炭素排出ゼロを目指した「ゼロカーボン社会」への挑戦が多く見られます。

たとえば神戸市では、川崎重工を中心としたグループが水素社会への扉を開く水素バリューチェーン構築を進めており、水素100％発電を成功させるとともに、2019年12月には世界初となる液化水素運搬船「すいそ ふろんてぃあ」を進水させました。

また、脱炭素時代の前提条件として、ユーザーが持つ電気機器や蓄電池を使って電力ネットワークを維持するVPP（仮想発電所）やデマンドレスポンスがあります。これについても、関西には関西電力とパナソニック、京セラ、住友電工、ニチコンなど関西の家電・電機・蓄電池メーカーや自動車各社で構成した日本最大のプラットフォーム（関西VPP）があり、先進的な取り組みを続けています。

さらに関西電力では、太陽光で作った電気やそこで生じる環境価値を個人間で売買する仕組みを、セントラルの情報センターを持たない分散型で実現する技術の実証も進めています。これは、個人間で電気のやりとりをすることで、少しでもエネルギーを効率的に活用できる社会を目指しているものです。

こうした技術に、これから構築される大阪・関西のデータ、IoT活用のソフトウェア集積が合わされれば、関西のすべての建物とそこで使われる機器や蓄電池が、脱炭素社会のためのエネルギー・ネットワークを支えられるようになるでしょう。再生可能エネルギーで作られる価値を市民同士が売買・共有するという、まさに次世代エネルギー社会のモデルを世界に先駆けて実現できるのです。

夢洲・都心連携による未来都市の出現

それでは、夢洲と大阪・関西は、これからいかにして新しい成長エンジン、都市の新しいかたちを、世界に発信していけばいいのでしょうか。

大阪・関西の都心部では、スーパーシティ候補となっている「うめきた」をはじめとして、中之島、ミナミ、天王寺などで、国際的なビジネス・商業機能、文化、観光・MICE機能の連携が進むでしょう。

大阪・関西が世界と対峙するにあたっては、海外に向けて直接発信できる独自のコンテンツが必要です。そのコンテンツを作り、磨きあげるためには、テクノロジーやサービスの社会実験フィールドやショーケースとなる夢洲の存在が大きな役割を果たします。埋立島で更地ベースであることから、交通システムなどインフラレベルからの社会実験が可能です。夢洲での実験で実用化されたテクノロジーやサービスは、人々が集まり、様々な活動がなされる大阪・関西の都心部にも広がっていくでしょう。「うめきた」に集積しているベンチャービジネスや大学などの研究機構では、実用化した際のデータを集積・解析するなどして、テクノロジー・サービスへのフィードバックや海外への展開を行っていくこととなります。

すなわち、テクノロジーやサービスの「夢洲」における実験とショーケースの機能、「うめきた」における実用化と展開という両輪をうまく機動させることにより、大阪から世界に発信していくのです。

日本を変えた1970年大阪万博

現代を先取りした未来技術の発信

２０２５年の大阪・関西万博の意味と可能性を考える上で、何といってもふり返っておくべきなのが、１９７０年の大阪万博です。期間は１９７０年3月15日から9月13日までの１８３日間、大阪府吹田市の千里《せんり》丘陵《きゅうりょう》を会場として開催されました。

アジアで初となる国際博覧会であり、総面積３３０ヘクタールの会場、世界が大阪に集まったような外国館、30近い企業パビリオンというスケール感は、日本国内において空前のイベントと呼ぶにふさわしいものでした。来場者数は当初想定の３０００万人から最終的には６４００万人となり、国際博覧会史上の新記録となりました。

戦後日本の発展の中では、１９６４年の東京オリンピックに並ぶ一大イベントであり、全日本国民が大阪・関西に注目し、ここから未来技術、国際社会との交流が発信され続けました。

会場の中心となるシンボルゾーンにあって、太陽の塔の背後に面した「お祭り広場」では、各国の日が設けられ、多くの日本人がそれぞれの国の文化やお国ぶりにふれる機会となりました。図3-1

中でも最大の人気パビリオンとしてにぎわったのが、アメリカ館です。アポロが持ち帰った「月の石」が展示され、最先端の宇宙開発を実際に見て感じたい、という人々によって連日長蛇の列ができました。

真夏の猛暑の中、列に並ぶ人々の様子に、「万国博」ではなく「残酷博」、テーマである「人類の進歩と調和」ではなく「人類の辛抱と長蛇」などと新聞が書きたてたほどです。

各国の企業パビリオンでは、その後の工業技術を先取りする展示がどんどん登場しました。とりわけ、日立グループ館の国内最大2階建てエレベーター、サンヨー館の未来のキッチンとともに人間洗濯機「ウルトラソニックバス」が注目を集めました。

携帯電話の原型が登場したのもこの頃です。電気通信館に「ワイヤレステレホン」が出展され、「夢の電話」と呼ばれ、また、アイ・ビー・エム館では、コンピューターで物語を生成する体験を味わうことができました。2010年代に世界を席巻したデジタル、情

図3-1 **太陽の塔とお祭り広場**

提供:朝日新聞社

報通信、パワーエレクトロニクスが40～50年前に人々に披露されていたのであり、これこそが万博の本質の一つです。

また、日本経済にとって、１９７０年代は欧米諸国へのキャッチアップを目指した高度経済成長が国民の豊かさに結実した時代です。その後の石油ショックを迎える前の、一種の絶頂期にあり、次のイノベーションへの期待が高まっていました。敗戦から必死で戦後復興してきた日本人が、改めて世界に興味を持ち、世界を身近に感じたい、という気持ちが高まってきた時代でもありました。そうした時代にベストマッチし、かつその後の日本人の行動や知識に大きな影響を与えたのが、大阪万博だったのです。

日本のクリエイティブ人材が結集

１９７０年の大阪万博開催には、実に多くの人がかかわっています。万博の研究者として著名な橋爪紳也氏は、『万博と電気』（電気新聞）や『大阪万博の戦後史』（創元社）などで、その錚々《そうそう》たる面々と当時関わった経緯を紹介しています。

太陽の塔を含むテーマ館のプロデューサーで万博に貢献した岡本太郎、研究者や作家として「万博を考える会」を立ち上げた梅棹忠夫に小松左京、加藤秀俊。会場計画を担い、基幹施設の設計を担った丹下健三、シンボルであるエキスポタワーを設計した菊竹清訓。テーマ館の空中展示や複数のパビリオンを設計した黒川紀章など。

他にも、当時の紹介記事ではこのような人物が名を連ねています。

建築家＝前川國男、坂倉準三、磯崎新、村田豊、原広司、芦原義信

画家＝高松次郎、山口勝弘、堂本尚郎、田中信太郎、宇佐美圭司、岡本信治郎、イサム・ノグチ

デザイン＝粟津潔、田中一光、河野鷹思、横尾忠則、杉浦康平、勝井三雄、増田正、安斉敦子、福田繁雄、仲條正義、石岡瑛子、細谷巌

音楽家＝石井眞木、一柳慧、黛敏郎、武満徹、団伊玖磨

映画＝市川崑、勅使河原宏、恩地日出夫、松山善三

評論家＝川添登、勝見勝、安部公房、浜口隆一

各パビリオンの構成者や細部の意匠設計まで含めれば、もっと多いはずです。

文化人では福島正実などのSF作家、手塚治虫や真鍋博といった漫画家やイラストレーター、田中友幸や円谷英二ら「ゴジラ」シリーズなどの特撮映画に関わったプロデューサー・監督、倉俣史朗などのインテリアデザイナーもかかわっています。

つまり、万博で活躍するのは何かを「創り出す」次世代の人材であり、それらを発掘し、挑戦の場を与えて次世代の活躍を導き出すのもまた万博の機能です。２０２５年大阪・関西万博でも、これから会場計画や展示内容が固まるにしたがって、大物から若手まで日本・世界の将来のクリエイティブを担う才能が集まってくるはずです。

新幹線は万博の動くパビリオン

大阪万博で初めて登場したり試みられたりした中で、現代に残っているもの、いまも大阪・関西の発展を支えているものは数多くあります。いわばレガシー（偉大なる遺産）であり、それが生まれることが万博の最も重要な意義と言えるかもしれません。

たとえば、万博会場に導入されていたエネルギー効率利用のための電気・ガス併用地域冷暖房システムが、開催後は二つに分解され、一つは万博会場近くの千里中央駅周辺のエネルギー供給基地として、もう一つは東京の新宿駅西口の再開発を支えるエネルギー基地として再利用されました。今日、日本のほとんどの地区開発のエネルギーシステムは、この地域冷暖房に再生可能エネルギーや蓄電池を組み合わせたものが使われていますが、そのスタートは１９７０年大阪万博にあったのです。

大阪万博で披露された技術や工夫がすぐさま実用化されたものとして、カプセルホテルも挙げられます。その第1号が、現在でも梅田の東通りで営業中のニュージャパン梅田です。もともとサウナを経営していたニュージャパン観光が、万博にあった黒川紀章によるカプセル建築に目をつけ、黒川氏に宿泊用のユニットの設計を依頼し、世界初のカプセルホテルを実用化したのです。

ほかにも、来場者の移動に使われた「動く歩道」が各地で採用されるようになりましたし、裏方としてはコンピューターによる情報の中央集中制御システム、ファストフード、缶コーヒー、ヨーグルト、携帯電話、シャチハタのスタンパーなど、万博から流行した商品はたくさんあります。

さらに、関西の発展基盤となった北摂《ほくせつ》地域の社会インフラについて、1970年万博のレガシーは極めて大きな役割を果たしています。そもそも60年代初頭まで万博会場の千里丘陵はいわば未開の地であり、一番近い現在の阪急南千里駅からも5キロメートル以上離れていました。道路も対面通行がなんとかできる未舗装道路だけで、公共交通機関の阪急バスもたったの1路線のみという、まさに「陸の孤島」でした。現在15万人以上の人々が暮らす千里ニュータウンは、当時ほとんどまだ手付かずでした。

今日、北摂の大動脈となっている北大阪急行（地下鉄御堂筋線延伸）と阪急千里線は、万博がなければ存在することはありませんでした。北大阪急行の万博期間の利用客は2400万人と極めて盛況で、この収益で建設費の償却ができた上、万博後の千里ニュータウンの開発も順調に進み、通勤客が増加して予想をはるかに上回る高収益となりました。北摂がいまや人気のブランド居住地となり、築40年が近づいた集合住宅の建て替えや、世代の入れ替わりも比較的順調に進んでいます。

そこにはニュータウン特有の暮らしやすさ、大阪大学をはじめとする学校の集積などが関係していますが、なんといっても都心部（梅田・淀屋橋・本町・難波）への高速移動が可能な北大阪急行の影響が大きいのです。現在、同路線は北の大阪大学新キャンパス（外国語学部）他への延伸工事中であり、今後もなお発展する偉大な万博の遺産と言えるでしょう。

また、意外なことですが、新幹線が国民に定着したのも大阪万博が関係しています。当時の国鉄は、もともと1970年万博に大掛かりな出展を検討していましたが、経営が悪化して赤字に転落したため、出展を見合わせました。そこでパビリオンの代わりに注力したのが、新幹線だったのです。

万博に際して、名古屋―新大阪間の臨時列車「エキスポ号」を走らせ、ひかり号の12両から16両への増結、こだま号の1時間3本から6本への増発を実施しました。当時「夢の超特急」と称され、人気絶大であった新幹線に万博旅行で初めて乗った人は多く、これを機に「ひかり」と「こだま」が定着したと言えます。

国鉄は新幹線を、「万国博の動くパビリオン」と呼びました。

万博が当時とその後の新幹線に与えた影響が、いかに大きかったかを物語っています。

大阪万博50周年の2020年は、2025年大阪・関西万博キックオフの年

2020年は大阪万博50周年にあたります。過去の博覧会の歴史をみると、1855年のパリ万博で示された未来は、1890年代のエッフェル塔、1900年のパリ地下鉄開業で実現しました。50年というのは、万博が示した未来を確認し、そこからの社会を展望するのにちょうどいい年月と言えそうです。

2020年は、5年後の大阪・関西万博の基本構想をつくる段階にあり、そこで世界に発信する技術やコンセプトづくりにチャレンジする企業が準備を本格化させる時期となります。大阪・関西万博のテーマ「いのち輝く未来社会」に向けて、様々な才能とアイデアを集めるためのキックオフが、ちょうど大阪万博から50周年というタイミングで行われる

ことになります。１９７０年の万博の偉大な足跡とレガシーを踏まえ、大阪・関西万博をより爆発力のあるものにする年になるのです。

第4章

「2025年問題」と関西

2025年が持つ歴史的な意味とは何か

ここまで、いま関西に勢いがあること、そして2025年に向けてさらに盛り上がっていきそうだという明るい話を書き連ねてきました。でも、ここでちょっと冷静になって、少し視野を広げてみましょう。関西を含む「日本」のいまは、そして2025年は、どんな状況にあるのでしょうか。

実は、この状況を正確に踏まえることで初めて、本書が『大阪の逆襲』という大それたタイトルである意味が、読者の皆様に伝わるのではないかと思います。

私たちがお伝えしたいことは、「いま関西には、エリア的に注目すべき事業計画が目白押し」ということにとどまりません。それを超えてさらに、「いま関西は、歴史的に注目すべき〝転換点〟の現場になりつつある」ということまでをお伝えしたい。そう考えているのです。

といっても、関西に住む私たちは、いまの関西の勢いやこれから来るであろう盛り上がりに浮かれて、有頂天になっているというわけではありません。なぜなら、関西が大チャンスである前に、関西を含む日本が大ピンチだからです。コロナ禍以前からすでに、ピンチな空気がうっすらと日本を覆っており、程度の差こそあれ、日本人なら誰もがそれを肌で感じていたことでしょう。関西人も例外ではありません。

２０１４年春、こんな発言が報道されました。

「２０２０年までは、見たくないものは見ないまま突っ走れるだろう。しかし、それ以降は見たくない現実が全部、襲ってくる」

当時、内閣府政務官で33歳だった小泉進次郎氏の有識者会議「選択する未来」委員会での発言です。そのときは「さすがにキャッチーなコメント力がすごいな」くらいにしか感じなかったのですが、やがて「見たくない現実」が次々と明らかになっていきました。いまにして思えば、この発言はその後の時代の気分を言い当てた予言だったのです。現在の日本は、そんな将来への不安感、打開策の見えない閉塞感のただ中にいるのでしょう。

日本のピンチは知れば知るほど深刻で、現在の延長線上には解決策が見出しにくい状況です。だからこそ、逆に現在の関西のチャンスが、単なる「関西というローカルエリアの」

「一時的な」チャンス以上の、何かもっと価値あるものに感じられてくるのです。私たち研究会が考える関西の可能性は、うまくいけば、このピンチに対して異質なインパクトを与え、〝新しい流れの起点〟になるかもしれない。私たちは２０２５年の関西をそう予感しています。本当にそうなれば、まさに「関西の逆襲」です。関西の逆襲は日本の逆襲にまで高めていけるはずです。

確実にやってくる「2025年問題」

では日本の大ピンチ、私たちが直面しつつある「見たくない現実」とは何なのか――。

まず触れなくてはいけないのは「２０２５年問題」です。２０２５年問題とは、「団塊の世代が後期高齢者（75歳以上）になることにより、医療など社会保障費が急増する問題」のことです。この問題は確実に起こります。

それは同じ未来予測の話であっても、「地震がこの地域では70％の確率で起こる」といった確率的なものや、「生涯未婚率は今後さらに上昇すると予測される」といった傾向分析的なものではありません。団塊の世代という「現に生きている人の数」を原因とする問題なので、予想を超えたとんでもないことが起こらない限り、「既に起こることが確定」している問題です（問題といっても、もちろん、団塊の世代が悪いわけではありません）。

令和元年版の「高齢社会白書」によると、日本の総人口は2018年10月1日時点で1億2644万人。高齢化は着々と進行しており、65歳以上の人口は3558万人で、総人口に占める高齢者の割合（高齢化率）は28・1％に達しています。65～74歳の前期高齢者人口は1760万人、75歳以上の後期高齢者人口は1798万人であり、既に後期高齢者人口が前期高齢者人口を上回っています。あらためて数字で確認すると大変な高齢化状況です。

しかも2025年には団塊の世代が後期高齢者になりますから、この状況がさらにもう一段、進みます。「高齢者の高齢化」の急進行です。高齢者の高齢化は、当然ながら、身体機能の衰えに伴う医療や介護サービスの一層の利用増を招き、公的医療保険や介護保険の利用が増えることになります。見通し推計では、2018年度と比べ、医療は20％増、介護は40％増になるとされています。

それを、数の少ない現役世代で支えていかなければならないのです。

さらに2025年を境に、「高齢者の急増」から「現役世代の急減」へと局面が変化していくようです。現在でも、かつてのような高齢者の支え方ができず、「胴上げ型」から「騎馬戦型」になったと言われているのに、よりいっそう負担の大きい「肩車型」へと急速に変わっていきます。図4-1 図4-2
支えられる側である分子が急増し、その後、分子は減ることなく、支える側の分母が急減する。それが、これからの日本の確定した未来です。移民政策を大きく変更するなどしない限り、事態を急変させることはできないでしょう。

ちなみに、2019年は1899年の統計開始以来、初めて日本人の国内出生数が90万人を下回り、86万4千人となりました。国立社会保障・人口問題研究所が2017年に発表した予測では、出生数が86万人台になるのは2021年としていましたが、あっという間に2年も前倒しになってしまいました。

国連の定義によると、人口に占める65歳以上の比率（高齢化率）について、7%以上を高齢化社会（日本が7%に到達したのは1970年）、14%以上を高齢社会（同1994年）、

図4-1 2040年までの人口構造の変化

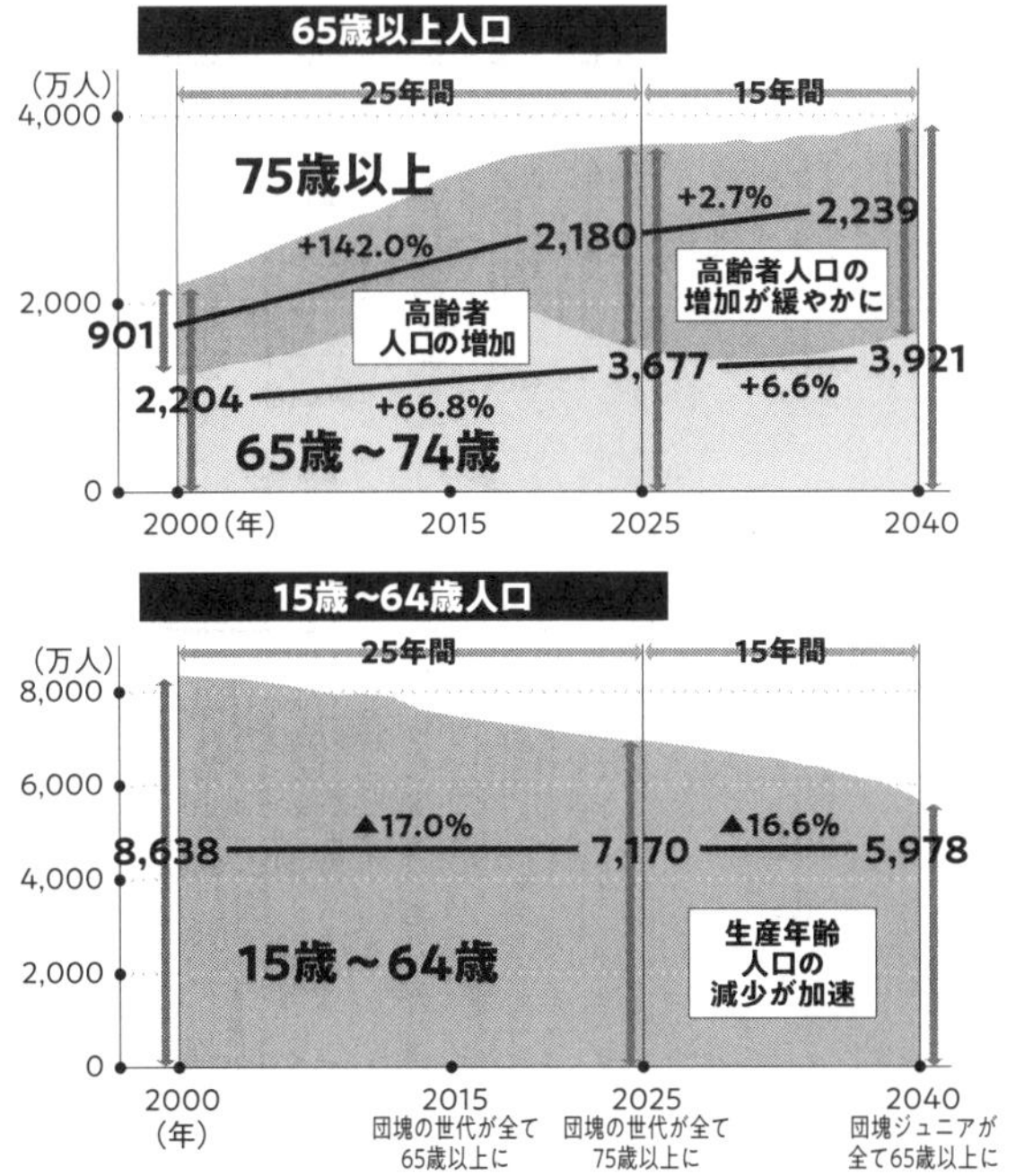

出典:厚生労働省 第28回社会保障審議会
資料2「今後の社会保障改革について ―2040年を見据えて―」

図4-2 日本における高齢者の支え方構図

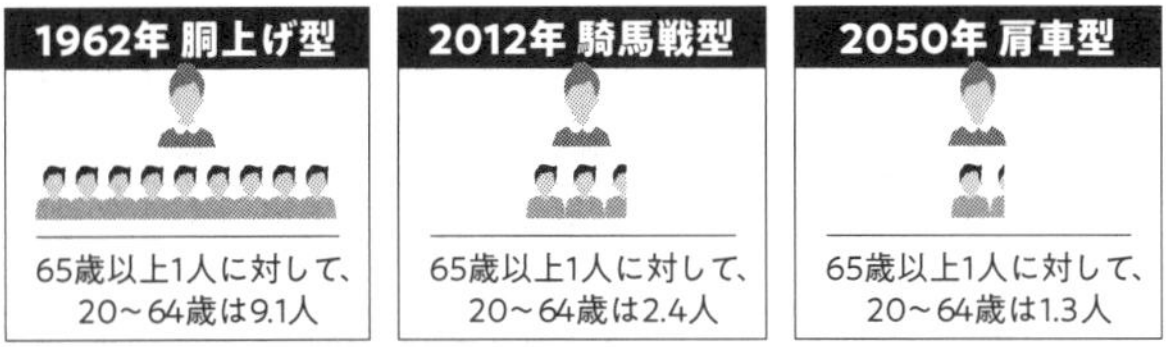

出典:厚生労働省 国立社会保障・人口問題研究所「日本の将来推計人口(平成29年推計)」

21％以上を超高齢社会（同2007年）といいます。2018年の日本の高齢化率は28・1％、2025年の日本（予測）はなんと30・0％で、人類がまだ経験したことのない、いわば「超超高齢社会」が想像以上の速さで進んでいるのです。

空き家、老老介護、8050問題

ここまで、やや丁寧に2025年問題に言及してきましたが、それはこの問題が「確実」なだけでなく、極めて深刻な波及力を持つ問題だからです。

社会保障制度の未来だけでも十分に深刻ですが、ことはそれにとどまりません。高齢者の一人暮らしが増え、ゆくゆくは空き家が急増することが懸念されています。

野村総合研究所の調査によると、2023年には、5軒に1軒以上もの割合で空き家になる見込みです。景観はもちろん、治安の問題が心配になります。人口減少は地方ほど著しいとされ、東北や中国四国の多くの県で人口の急減が大きな課題となっています。そうしたエリアでは、問題はいっそう厳しいものになるかもしれません。

認知症の問題も深刻です。厚生労働省は「認知症を患う人の数が、２０２５年には７００万人を超える」との推計を２０１５年に発表しています。「１２００万人以上が認知症になっていてもおかしくない」と指摘する大学の先生もおられます。65歳以上の高齢者の数が多いだけでなく、そのうち５人に１人が認知症を患っている社会。これは本人はもちろん、周囲も社会も大変です。

そして、老老介護の問題も今以上に顕在化してくるでしょう。特に団塊ジュニア世代は就職氷河期世代と呼ばれる世代であり、思うような仕事に就けず収入が十分ではなかったり、仕事の不安定さから結婚をせず、独身を通す人が従来よりも多い世代です。この世代もすでに40代。２０２５年になると、彼らの多くは50代にさしかかります。日々の暮らしに追われる中で、後期高齢者となった両親の介護、さらには自分自身の老いや病といった困難に見舞われたとき、介護離職による一家共倒れといったことも起こりえます。

加えて、「８０５０問題」が急増することも懸念されています。８０５０問題とは、老老介護問題とは逆に、80代の親が50代の自立できない事情を抱える子どもの生活を支えてきた家庭で、親子が社会から孤立し、どうにも立ちゆかなくなるという事態のことです。

従来はあまり見られなかったこうした問題が、団塊の世代&団塊ジュニアの親子に起こっています。最近ニュースでしばしば取り上げられる「氷河期採用枠」は、この問題への対策の一環です。

このように、2025年問題はそれ自体が深刻な上に、さらにその周辺に関連する様々な問題があふれ出ています。解決しなければならない課題がこれまで以上に山積しており、2025年は、日本全体という視座で見ると、こんなにも厳しい問題に直面する年なのです。

イノベーションを求め過ぎて、かえって遠ざけてしまう日本

ただし、どんな問題にも解決策はあります。こうした2025年問題の解決については、介護に画期的なテクノロジーを活用したアイデアを導入したり、空き家をうまく活用した新ビジネスを作り出すなど、イノベーションが起こることがカギとなってくるでしょう。そのイノベーションについて、日本の現状はどうでしょうか。

1980年代後半のバブル期、日本企業が世界を席巻した時代がありました。

しかし、最近はあまり勢いがありません。日本の景気の変遷を象徴的に表した「平成元年と平成30年の世界時価総額ランキング比較」が、ずいぶん報道でも取り上げられました。平成元年には50位以内に32社も名を連ねていた日本企業が、30年後にはトヨタ自動車1社しか残れていないのです。図4-3
これはまさに「凋落」と言わざるを得ません。

いったい、なぜ日本企業は凋落してしまったのでしょうか。

その原因は様々でしょうし、複合的なものでしょう。単純化できる話ではありませんが、結局のところ、「イノベーション」を起こす力の差であると考えられます。

近年、世界を席巻している企業群と言えば、このランキングでも上位を占める「GAFA（グーグル・アマゾン・フェイスブック・アップル）」であることに、多くの人は異論がないでしょう。また、規模ではまだまだGAFAに劣りますが、テスラの時価総額拡大の勢いにも凄まじいものがあります。

これらの企業に共通するのは、「イノベーション」の力で急成長したことです。それも

図4-3 平成30年 世界時価総額ランキング

順位	企業名	時価総額（億ドル）	国名
1	アップル	9,409.5	米国
2	アマゾン・ドット・コム	8,800.6	米国
3	アルファベット	8,336.6	米国
4	マイクロソフト	8,158.4	米国
5	フェイスブック	6,092.5	米国
6	バークシャー・ハサウェイ	4,925.0	米国
7	アリババ・グループ・ホールディング	4,795.8	中国
8	テンセント・ホールディングス	4,557.3	中国
9	JPモルガン・チェース	3,740.0	米国
10	エクソン・モービル	3,446.5	米国
11	ジョンソン・エンド・ジョンソン	3,375.5	米国
12	ビザ	3,143.8	米国
13	バンク・オブ・アメリカ	3,016.8	米国
14	ロイヤル・ダッチ・シェル	2,899.7	英国
15	中国工商銀行	2,870.7	中国
16	サムスン電子	2,842.8	韓国
17	ウェルズ・ファーゴ	2,735.4	米国
18	ウォルマート	2,598.5	米国
19	中国建設銀行	2,502.8	中国
20	ネスレ	2,455.2	スイス
21	ユナイテッドヘルス・グループ	2,431.0	米国
22	インテル	2,419.0	米国
23	アンハイザー・ブッシュ・インベブ	2,372.0	ベルギー
24	シェブロン	2,336.5	米国
25	ホーム・デポ	2,335.4	米国
26	ファイザー	2,183.6	米国
27	マスターカード	2,166.3	米国
28	ベライゾン・コミュニケーションズ	2,091.6	米国
29	ボーイング	2,043.8	米国
30	ロシュ・ホールディング	2,014.9	スイス
31	台湾・セミコンダクター・マニュファクチャリング	2,013.2	台湾
32	ペトロチャイナ	1,983.5	中国
33	P&G	1,978.5	米国
34	シスコ・システムズ	1,975.7	米国
35	トヨタ自動車	1,939.8	日本
36	オラクル	1,939.3	米国
37	コカ・コーラ	1,925.8	米国
38	ノバルティス	1,921.9	スイス
39	AT&T	1,911.9	米国
40	HSBC・ホールディングス	1,873.8	英国
41	チャイナ・モバイル	1,786.7	香港
42	LVMH モエ・ヘネシー・ルイ・ヴィトン	1,747.8	フランス
43	シティグループ	1,742.0	米国
44	中国農業銀行	1,693.0	中国
45	メルク	1,682.0	米国
46	ウォルト・ディズニー	1,661.6	米国
47	ペプシコ	1,641.5	米国
48	中国平安保険	1,637.7	中国
49	トタル	1,611.3	フランス
50	ネットフリックス	1,572.2	米国

＊2018年7月20日時点。各種データを基に週刊ダイヤモンド編集部作成
出典：「週刊ダイヤモンド」2018年8月25日号 ©ダイヤモンド社

「技術革新」という訳語を当てるような狭義のイノベーションではなく、「新機軸」と訳すべきイノベーションの力です。現在、日本企業はこの点で大きく後れを取っているとされ、その挽回に懸命です。

では、この点を自覚し懸命に努力しているにもかかわらず、日本企業がイノベーション力での遅れを挽回できないのはなぜでしょうか。また、大学を筆頭に、教育においてもこうした力の弱さを克服する努力が行われているはずですが、なぜ効果が現れないのでしょうか。ひょっとすると、最前線では既にいい兆候が表れていて、筆者の不明を恥じなければならないのかもしれませんが、世の中の論調的にはまだ挽回・回復は実現できていないように感じます。少なくとも、前出の時価総額ランキングでは未だに実現できていません。

ただし、日本人にイノベーション力がないとは思えません。ノーベル賞受賞者も多数生まれていますし、パナソニックもソニーも昔はベンチャー企業で、多くのイノベーションを創出しています。ちなみに、大阪には「大阪企業家ミュージアム」という、大阪に縁がある企業家たちの博物館がありますが、そこに行くと、そのイノベーション力に大きく驚かされます。

イノベーションはガラクタから生まれる

イノベーションの分野で日本が後れを取っている一因として、筆者が考えるのは、日本の企業も大学もこの数十年間、イノベーションの追求の仕方が生真面目過ぎだったのではないかということです。生真面目に効率的にやることを、私たちは追求しすぎてしまったようです。

そんな産学揃っての「イノベーションを生真面目に効率的に追求する姿勢」が、かえってイノベーションを遠ざけることになっているのではないでしょうか。「理想的に完璧な状態」があると想定し、その目的に向かってまっしぐらに、ムダなく、効率的に最短距離を駆け抜ける。それは、おそらくこれまでの成功パターンでした。目的や評価軸がはっきりしている時代においては、それが最も良い方法だったのです。

生真面目も効率的もそれ自体は全然悪いことではないのですが、「イノベーション」を必要としているいまの時代には合っていない。評価軸自体を創り出さないといけないときには、生真面目・効率志向はむしろ逆効果になってしまう。もっとムダや矛盾、寄り道を鷹揚に取り込んでいかないと、思ってもみない新しいものを生み出すことはできない。そう思うのです。

ある人から聞いたことがあります。京都ではとにかく会合が多いとのことです。そして夜遅くまで飲みます。そこでは業種同士の集まりというよりは、業歴数百年の老舗企業、京大発のベンチャー企業、学者、開業医などジャンルが別々な人々が集まることが多いようです。そこで自分の本業以外の話を聞いて、オープンイノベーションにつなげているとのことです。

そうした場では、新聞報道では知ることができない各業界の本音も共有されるようです。こうした専門分野を超えた意見交換の場、いわば「知の越境」とも言えることが、このような緩やかな場では起きやすく、それが京都の良さだとその方はおっしゃっていました。もしかしたら、その方が飲み歩きたい理由を言っていただけかもしれませんが。

2019年、京都大学の酒井敏教授が書かれた『京大的アホがなぜ必要か―カオスな世界の生存戦略』（集英社新書）という変わったタイトルの本がヒットしました。関西の書店では長い間、平積みされていました。この本にはこんなことが書いてあります。

「想定外の変化に備えるにはどうすればいいのか。（中略）それは〝選択と集中〟ではなく、いわば〝発散と選択〟です。未来のことはわからないのだと割り切って、効率や短期的な合理性をあまり気にせず、いろいろなことをやってみる。そのなかで、うまくいきそうなものを〝ゆるく〟選択する」

そしてこう呼びかけます。

「矛盾を受け入れ、失敗を恐れるな」

さらには、「イノベーションはガラクタから生まれる」と。

合理的な効率追求に傾斜しすぎている昨今の日本社会に対して警鐘を鳴らしています。このような本が出版され、それが受け入れられている。これは、現在の状況に危機感を感じている人、少なくともなんとなく違和感を覚える人がたくさんいるということではないでしょうか。

ＶＵＣＡの乗り越え方は、関西で「再」発見される!?

昨今よく言われる話の一つに、「世界がＶＵＣＡ（Volatility＝変動性、Uncertainty＝不確実性、Complexity＝複雑性、Ambiguity＝曖昧性）の時代に入った」というものがあります。まさに、先ほどの話と同じことを言っているのではないでしょうか。

「ＶＵＣＡ時代」になり、それまで成功するために最も合理的と考えられてきた戦略的な思考、ピラミッド型の指示命令系統、論理的で緻密な課題解決方法では、事態に十分に対処することができなくなってしまった。そのような指摘は、世の中の大きな変化として驚きをもって迎えられました。

しかし一方で、関西的な価値観で生きている人たちからすると、「なんでそれが驚きなん？」と不思議に感じるようです。関西のおっちゃん、おばちゃんからすると、世界が急にそんな風にややこしく、対処しにくく変化したわけではなく、世の中というのは前からずっとそうだった、くらいに感じているように思います。

第1章で京都大学のイノベーション力の高さに言及していますが、京大らしさを体現している教授として有名だった森毅名誉教授が、こんなことをおっしゃっていました。

「全能力を適正に評価できる制度がもし仮にあったとして、それで落とされたら洒落にならんやろ」

「他人に迷惑をかけない人間というのをやたらと持ち上げることに、ぼくは大いに不満なのである。むしろ、迷惑をかけ合うことこそ、人間の社会性と言えるくらいだ」

「ぼちぼちでええんや。その方がうまくいく」

こうした「隙を積極的に許容する言葉」に、京大らしさが、もっと言えば京大を育んだ関西らしさが感じ取れます。そこでは、生活の知恵として、完璧をまっしぐらに追求することを丁寧に回避しています。

曖昧で、複雑で、不確実で、移ろいやすい。そんな何ひとつ固定的に見ることができない状態を当たり前と感じ、矛盾だらけの状態に白黒つけることを急がずに、いい塩梅の「ゆるさ」で乗りこなしていく。そんな関西で色濃く見られる感覚は、VUCA時代に慌てる世界に、なんらかのいい示唆を与えるものだと思います。VUCAの乗り越え方は、新たに発明されるのではなく、関西に元々あった「ゆるさを積極的に許容する思考法」から「再」発見される。我々はそんな風に考えています。

もちろん、あらゆる問題を関西的な感覚・価値観で解決できるというわけではないのですが、日本や世界を覆う不安感、閉塞感に新しい風を吹かせるきっかけにはなりそうです。こうした関西のゆるさは住んでみないとわからないところがあります。この本を手に取られた方には読むだけでなく、ぜひ実際に体感していただきたいと思っています。

2025年問題の本質

日本は、これまでの成功の方程式二つが両方とも無効になってしまうダブルパンチに直面しています。これが2025年問題の本質です。

第一の成功の方程式、それは生産労働人口が増え続ける人口増の時代を前提とした社会の仕組みです。高齢化と人口減が同時に進行する超超高齢社会に突入することにより、これまで有効だった様々な仕組みが今後、機能不全に陥ることは確実です。

第二の成功の方程式、それは「理想的な完璧」を効率的に追求するという、日本企業がこれまで得意としてきたやり方です。欧米先進国という明確なお手本があった高度経済成長期はいざ知らず、バブルがはじけＶＵＣＡの時代に突入した現在、効率的に到達すべき目標をどこに定めればいいのか、もはや誰にもわかりません。

そんな中、画期的なイノベーションにつながるかもしれないムダや矛盾や寄り道を許容する空気は、日本企業にはまだまだ希薄です。

人口増を前提とし、到達すべき目標を明確に定めることができた時代の社会の仕組みを「20世紀型モデル」、人口が減少し超超高齢社会に突入したＶＵＣＡの時代にふさわしい新たな社会の仕組みを「21世紀型モデル」と呼ぶならば、20世紀型モデルをいかに21世紀型モデルに変革するかが、いま私たちに問われているのです。

のちほど詳しく見ていきますが、20世紀型モデルは「ただひとつの正解」が明らかで、効率的にその正解を追い求めることがよしとされたモデルです。これに対して、21世紀型モデルは「正解がひとつでない」ＶＵＣＡの時代にふさわしい仕組みを構築しなければなりません。20世紀型モデルが、成長率を重視するあまり過剰な競争に陥りがちなのに対して、ＳＤＧｓ（持続性）を重視するのが21世紀型モデルということもできます。

「ただひとつの正解」が明らかな20世紀型モデルと異なり、「正解がひとつでない」21世紀型モデルでは、ムダや矛盾や寄り道が重要です。多様な人と人が積極的に交流し、未知の問いに対して試行錯誤を繰り返す営みを意図的につくり出すことが求められます。

先に見た通り、関西には「ゆるさを積極的に許容する思考法」が根づいています。「正解がひとつでない」21世紀型モデルでは、ムダや矛盾や寄り道を許容する思考法は重要です。

この思考法以外にも、関西には、実は21世紀型モデルにふさわしい条件が揃っています。それはたとえば、地域の多様性であり、関西人のコミュニケーション力の高さであり、持続性を重視するリアリストな気質です。リアリスト気質については後述しますが、こうした好条件が揃った関西で、２０２５年の万博開催など未来に向けたビッグプロジェクトが目白押しなのです。

２０２５年問題を解決する21世紀型モデルへの転機は、２０２５年の関西から。

なぜ、我々がそう考えるのか、ここから詳しく見ていきたいと思います。

20世紀型モデルと21世紀型モデル

20世紀型モデルと21世紀型モデルについて説明すると、まず20世紀型モデルの特徴は以下のようなものです。

・「成長性」を尺度とする
・「ひとつの正解」「ひとつのルール」を前提とした競争を基本とする
・「ヒエラルキー型」の社会構造

「ウォール街」という1980年代のニューヨークが舞台の映画がありました。映画の主人公である貪欲な投資家の「金儲けのためには手段を選ばない」という生き方は、さすがに極端ですが、ある意味20世紀型モデルの究極の姿と言えそうです。事実、短期的な利益を重視する投資家はいまでも少なくありません。

かつては人口が増加し、市場全体が右肩上がりなので、欧米先進国という明確なお手本を目標に、みんなが頑張って競争すれば、みんなに恩恵が行き渡りました。その中で、少しでも競争相手より成長するためには、目標にいかに効率的に、完璧に到達するか、効率性と完璧性が競争原理でした。効率性と完璧性を遂行するため、上意下達式のヒエラルキー型の構造が企業や社会の基本形となりました。高度経済成長期の日本です。

しかし、市場が伸びない人口減の時代に同じことを続ければ、一握りの勝者と大多数の敗者の格差が広がるばかりです。失われた30年のひとつの側面です。２０２５年問題は、こうした20世紀型モデルから新しい21世紀型のモデルへの変革を迫っています。

我々が考える21世紀型モデルの特徴は次の通りです。

・「持続性」や「調和」を尺度とする
・「正解がひとつでない（ひとつに定まらない）」を前提とした共創を基本とする
・「分散型」の社会構造

未来が不確実なＶＵＣＡの世界では、ある確定した目標値に向かって最短距離を走る効率性、完璧性の競争にしのぎを削っていては、技術革新などによって突然ゲームのルールが変わったら生き残ることはできません。誰も正解はわからないことを前提に、多様なパートナーとの様々なトライアルを通じて、ムダや矛盾や寄り道の中から社会を変えるイノベーションが生み出されます。

効率性や完璧性ではなく、多様性や偶然性が重要です。ヒエラルキー型ではなく、多様なプレイヤーの共存を前提とする分散型の構造が基本形です。

別の見方をすれば、ＳＤＧｓの取り組みに通じるモデルとも言えます。利益重視、特に短期的な利益志向から、持続可能性と複数の関係者（ステークホルダー）すべてのＷｉｎＷｉｎを目指す方向へ、すでに世界は舵を切ろうとしています。

米国の経済団体「ビジネス・ラウンドテーブル」は、２０１９年、長年掲げてきた「株主至上主義」を見直し、顧客や従業員、サプライヤー、地域社会、株主などすべてのステークホルダーを重視する方針を表明しました。企業の存在意義が「利益追求」だけでいいのか、企業の「パーパス」（存在目的）について問い直す動きが世界中で始まっています。

日本でも、近江商人の「三方よし」（売り手よし、買い手よし、世間よし）が再評価されています。実は「三方よし」は海外の方も注目しており、先日はハーバード大学の教授がこの言葉を日本語で発言されたことがありました。その先生は、サントリーの鳥井信治郎氏の「やってみなはれ」も知っていました。両方とも関西発の言葉であることを考えると、関西の企業家魂は世界に通じるのかもしれません。

2025年問題を解決するためには、成長性から持続性、調和へ、「ひとつの正解」から「正解が定まらない」へ、ヒエラルキー型から分散型へ、大胆なパラダイムシフトが求められているのです。

関西企業のリアリスト気質

21世紀型モデルへの変革は関西から、というのが本書の主張ですが、なぜそれが可能と考えているのか、お伝えしたいと思います。

2018年、日経新聞に「小粒になった日本企業」という記事が掲載されていました。

日本企業の小粒化が進んでいる。（略）米国では企業の1社あたり時価総額が2000年の2.6倍になった一方、日本は1.7倍にとどまる。（略）2017年時点で米ニューヨーク証券取引所の上場企業（の平均寿命）は「15年」、英ロンドン証取は「9年」。これに対して日本取引所の上場企業は「89年」と極端に長寿だと分かった。

（日本経済新聞2018年11月18日）

成長性を尺度とすれば日本企業は落第点という論旨です。成長性は確かに大切ですが、成長性ではなく持続性を尺度とすれば、評価は逆転するのではないでしょうか。

関西企業の中には驚くほど長寿な企業があります。一番有名なのは、金剛組《こんごうぐみ》という大阪市に本社を置く寺社建設の会社で、創業はなんと西暦578年（飛鳥時代！）。世界で最も古い企業と言われています。これは極端な例としても、神戸市の剣菱《けんびし》酒造（1505年創業）、兵庫県伊丹市の小西酒造（1550年創業）、京都市の月桂冠（1637年創業）などの日本酒メーカーや、薬の街として有名な道修町（大阪市中央区）の製薬企業、たとえば田辺三菱製薬（１６７８年創業）、小野薬品工業（１７１７年創業）、武田薬品工業（１７８１年創業）など、長い歴史を生き抜いてきた長寿企業は少なくありません。

関西企業の生き抜く知恵とは一体何なのでしょうか。

関西の経済界に詳しい人と話していて指摘されたことがあります。

「関西の商人はリアリストだから、全財産を賭けた博打はしない。乾坤一擲《けんこんいってき》の勝負に出る時でも、幾分かの財産を必ずどこかに隠している」

「必ず自分の手の届く範囲内で行動し、無茶をしない。アウェイでチャレンジはしない」

「チャレンジするよそ者を応援するのは上手。成功したら自分も儲かる」

関西人は「がめつい」と言われます。確かにそういう面もあるのですが、意外と持続可能性やこれまでのつきあいの深さを大事にします。そういう意味では、関西企業の持続性を重視するリアリスト気質は、少しオーバーに言えば、ＳＤＧｓを先取りしていると言えそうです。

この気質はどこから来ているのでしょうか。

関西は、長く都が置かれた結果、戦乱や破壊を繰り返し体験してきました。京都人にとって「先の戦争」とは応仁の乱のことだというのは、よく聞くジョークですが、確かに戦国時代に限らず、あちこちに合戦の史跡が多いことは事実です。

支配者の交代による混乱も少なからずありました。戦乱だけでなく、明治維新で都が東京へ移った結果、京都はかなり荒廃しました。第二次世界大戦の空襲は関西に限ったことではありませんが、関西でも被害は甚大でした。戦争の悲惨さを伝える野坂昭如の『火垂るの墓』は、阪神間（大阪市と神戸市に挟まれた地域）が舞台です。

破壊と混乱の歴史とはVUCAの歴史にほかなりません。そんな歴史をくぐり抜けて「三方よし」の近江商人の流れを受け継いできたことが、持続性を重視する関西企業のリアリスト気質を培ってきたのでしょう。

VUCAの時代を生き抜く21世紀型モデルのヒントが、関西企業の歴史と気質の中に見つかりそうです。

関西人のコミュニケーション力の高さ

関西人にとって「ボケ・ツッコミ」は普段の会話の中で当たり前で、知らない人同士が楽しくやり取りするような光景も珍しくありません。このコミュニケーション力の高さは、21世紀型モデルに必須の能力だと筆者は考えています。

コミュニケーション力といえば大阪のおばちゃんです。彼女たちは、バッグの中に必ず飴玉《あめ》の袋を持っていて、何かの機会に気軽に人に分けてくれます。「飴ちゃん、どうぞ」と、なぜか「ちゃん」づけなのですが、この「飴ちゃん」を、大阪に限らず関西のご婦人方はかなり高い確率でお持ちです。「飴ちゃん、どうぞ」をきっかけに、知らない人とでも気軽にコミュニケーションを取ってしまうのです。

最近急増した日本語が話せないインバウンド観光客相手でも、大阪のおばちゃんはさほど動じません。持ち前のコミュニケーション力を発揮し、日本語で何とかしてしまいます。

この「飴ちゃん精神」に代表される、お節介で世話焼きでコミュニケーション力が高い点が関西人気質です。

適塾創設者の緒方洪庵（今の岡山県出身）、大阪商工会議所創設者の五代友厚（今の鹿児島県出身）、現在の大阪の骨格を築いた第7代大阪市長の関一（静岡県出身）、阪急グループ創業者の小林一三（山梨県出身）、オムロン創業者の立石一真（熊本県出身）など、関西の偉人と言われる人たちは、実は関西以外のエリアの出身者が少なくありません。

域外の優秀な人材に活躍の機会を与え、結果として地域が発展してきたというのが関西の歴史です。

関西人は、千年を超える長い歴史を通じて域外の多くの人々と交流してきたわけですが、交流が盛んということは、常に見知らぬ人と接する可能性があるということでもあります。

首都圏が東京という中心を頂点とするヒエラルキー型であるのに対し、関西は中心を持たない「連峰型」です。大阪、京都、神戸など個性豊かな街がそれぞれ自己主張しながら、横の関係でつながり合っている、多様で「分散型」の地域だと言えます。その意味では、他人との垣根が低く、見知らぬ人同士でもすぐに仲良くなって対等につきあう文化が、関西には根づいていています。この長年の交流の歴史が、関西人のコミュニケーション力を磨いてきました。

21世紀型モデルでは、あらかじめ定められたルールや正解に従っていればよい20世紀型モデルとは違って、わからない正解を探るために、多様な人と交流し共創するコミュニケーション力の高さが必要です。

効率性や完璧性の観点からは一見ムダな寄り道にしか思えない、関西人のボケ・ツッコミのおしゃべりですが、不確実で変動するＶＵＣＡ環境の中では、常に軌道修正を繰り返していく他者との相互交流は、卓越したコミュニケーション力と言えるのではないでしょうか。

打ち合わせに時間がかかるという問題もないわけではないのですが、別の観点からは、他人を深く知りたがる好奇心によるもの、ととらえることもできると思います。関西人が21世紀型モデルを牽引できそうだと思う、もうひとつの理由はそこにあります。

ほかにもある！　関西の豊富なリソース

持続性を重視するリアリスト気質と、コミュニケーション力の高さ。これらに加えて、関西には21世紀型モデルのための豊富なリソース（資源）があります。

繰り返し述べているように、「正解がひとつでない」時代は、多様な可能性に常にトライしていくことが求められます。したがって、多様性が重要な資源となります。

コラムでもお伝えしたように、「関西は一つひとつ」と言われるほど、関西という地域は多様です。たとえば歴史に培われた多様な文化も関西の特徴です。第1章でも触れたように、国宝や重要文化財が集中するとともに、日本画、茶道、華道、能狂言、歌舞伎、文楽など豊かな伝統文化が発展しました。

また、交通の要衝ということで港町や宿場町が栄え、国内外の人々が活発に行き交いました。日本中から富が集まって豊かなので、域内に複数の大都市が並立しました。

なかでも大阪は江戸時代には商都として繁栄し、明治期以降も経済の中心地であり続けました。１９２５年（大正14年）に大阪市は第２次の市域拡張を実施し、人口が２０３万人となりました。これは東京を抜いてニューヨーク、ロンドン、ベルリン、シカゴ、パリに次ぐ世界６位の規模と言われています。いわゆる「大大阪《だいおおさか》」の時代です。現在の大阪の都市構造の骨格は、この時期に形成されました。

伝統文化から経済活動まで、日本の中でも他にない多様性を持つ地域、それが関西です。

もう1点、関西の持つ資源として忘れてはならないのは、都市としての規模が大きいという事実です。

注目したいのは、「世界の都市化」というキーワードです。国連の報告によれば、２０１８年現在、世界の55％の人口が都市部に暮らしています。１９５０年には30％に過ぎなかった都市部人口は、２０５０年には68％に達すると予測されています（国際連合「世界都市人口予測・２０１８年改訂版」）。

現在、世界の都市人口の８人に１人が人口１０００万人以上規模のメガシティに住んでいます。世界には33のメガシティがあり、これが２０３０年には43に増えると予測されています。そして、そのほとんどが途上国地域になると言われています。

つまり、人口1000万人以上規模の大都市圏において、持続性と成長をどう両立させるか、住民の幸福をどう実現するかが、2030年代の世界にとって大切な課題となるということです。21世紀型モデルを、世界規模で俯瞰した時の課題です。

もちろん関西も、人口1000万人以上規模の大都市です。2015年の国勢調査によれば、関西の人口は1930万人で、首都圏の3727万人に次ぐ日本第2の大都市圏となっています。図4-4
都市計画政策コンサルティングを手がけるDEMOGRAPHIAの発表によれば、世界の都市の中で、関西（大阪・神戸・京都）は世界14位の都市圏です。これはオランダの人口（約1700万人）に匹敵する規模であり、いわば国と同じくらいの経済規模があるということです。

世界1位は関東（東京・横浜）なので、それと比べると見劣りするかもしれませんが、それは東京の規模が特別なのであって、世界水準で言えば関西も世界有数の大都市であることは間違いないと思います。

図4-4 **日本の都市圏**

名称	中心市	人口(人)	面積(km²)	人口密度(人/km²)
札幌大都市圏	札幌市	2,636,254	4,514	584
仙台大都市圏	仙台市	2,256,964	5,970	378
関東大都市圏	東京都区部・横浜市・川崎市・千葉市・さいたま市・相模原市	37,273,866	14,034	2,656
新潟大都市圏	新潟市	1,395,612	5,345	261
静岡・浜松大都市圏	静岡市・浜松市	2,842,151	4,982	570
中京大都市圏	名古屋市	9,363,221	7,266	1,289
近畿大都市圏	**京都市・大阪市・神戸市・堺市**	**19,302,746**	**13,033**	**1,481**
岡山大都市圏	岡山市	1,639,414	3,637	446
広島大都市圏	広島市	2,096,745	5,048	415
北九州・福岡大都市圏	北九州市・福岡市	5,538,142	5,731	966
熊本大都市圏	熊本市	1,492,975	4,251	351
宇都宮都市圏	宇都宮市	1,655,673	5,455	304
松山都市圏	松山市	706,883	2,272	311
鹿児島都市圏	鹿児島市	1,126,639	3,458	326

出典:2015年国勢調査 総務省統計局

その関西が、持続性と成長を両立させた21世紀型モデルを実現できれば、世界の他の大都市にも転用可能なはずです。つまり、世界の都市化のトップランナーとして、関西が貢献できるということです。

豊かな多様性と、都市化する世界のお手本となれる都市規模を誇る関西で、世界に向けて未来を考える万博が開催されるのは、必然と言えそうです。

ビレッジシティ関西の可能性

持続性を重視するリアリスト気質と、コミュニケーション力の高さ。豊かな多様性と大都市というアドバンテージ。そこへビッグプロジェクトが相次ぐというのが、近い未来の関西です。

この千載一遇のチャンスをとらえて、日本の大ピンチを関西の大チャンスに変えることが求められています。いや、この大チャンスは、関西だけのものではありません。日本が21世紀型モデルへと変革する大チャンスなのです。もっと大げさに言えば、世界が21世紀型モデルへと変革する起点かもしれません。

こうした可能性を持つ関西を、我々は「ビレッジシティ」と名づけました。ムラ（ビレッジ）と都市（シティ）のよさを兼ね備えた地域という意味です。図4-5
我々の研究会の議論において、関西は日本で二番目の都市圏というイメージがある一方で、「日本最大の地方都市」という感じがする、という話がありました。そこから考えたネーミングです。

東京で生活すると、ニューヨークやロンドンのようなグローバル先端都市といった空気を感じます。対して関西は、「都会なんだけど、少し田舎っぽさがある」というのが味わいです。その気持ちを、この「ビレッジシティ」という名前に込めました。我々関西人としては、東京とは違う魅力で頑張りたい、という想いもあります。

リアリスト気質やコミュニケーション力の高さといった関西人の特徴こそが、関西をビレッジシティとする理由の一つです。リアリストというと、少し冷たく聞こえるかもしれませんが、我々が考えるリアリストとは先述のとおり、今ある関係を大事にして、長いおつきあいをしていくというものです。

こうした人間関係は、都会より田舎の方にあるように思えます。コミュニケーション力は都会でも村でも必要だと思いますが、関西のコミュニケーションのベースは人情。浪花節です。都会的というよりは、ムラ的なコミュニケーションなのではないかと思います。

そして、関西のリアリスト気質とコミュニケーション力の根底にあるのは、「人と人のつながり」をベースにした行動原理と言えます。わかりやすく言えば、「その人はおもろいか」を基準に、判断・行動するということです。

この行動原理を、「ムラのよさ」ととらえました。人口1930万人を擁する世界有数の大都市でありながら、ムラのよさが生きている「巨大なムラ＝ビレッジシティ」、それが関西ではないでしょうか（「ムラ」というと、村八分など悪いイメージが思い浮かぶかもしれませんが、ここで言いたいのは、「人と人の間で顔の見える関係が成り立っている」という、「ムラのよさ」を示したものです）。

人と人の顔の見える関係を大事にするムラでありながら、大阪、そして関西は、世界有数の規模を誇る大都市でもあります。

大都市であるからこそ、「おもろい人」がいっぱいいて、「人と人のつながり」の可能性

図4-5 **関西らしさの三層構造**

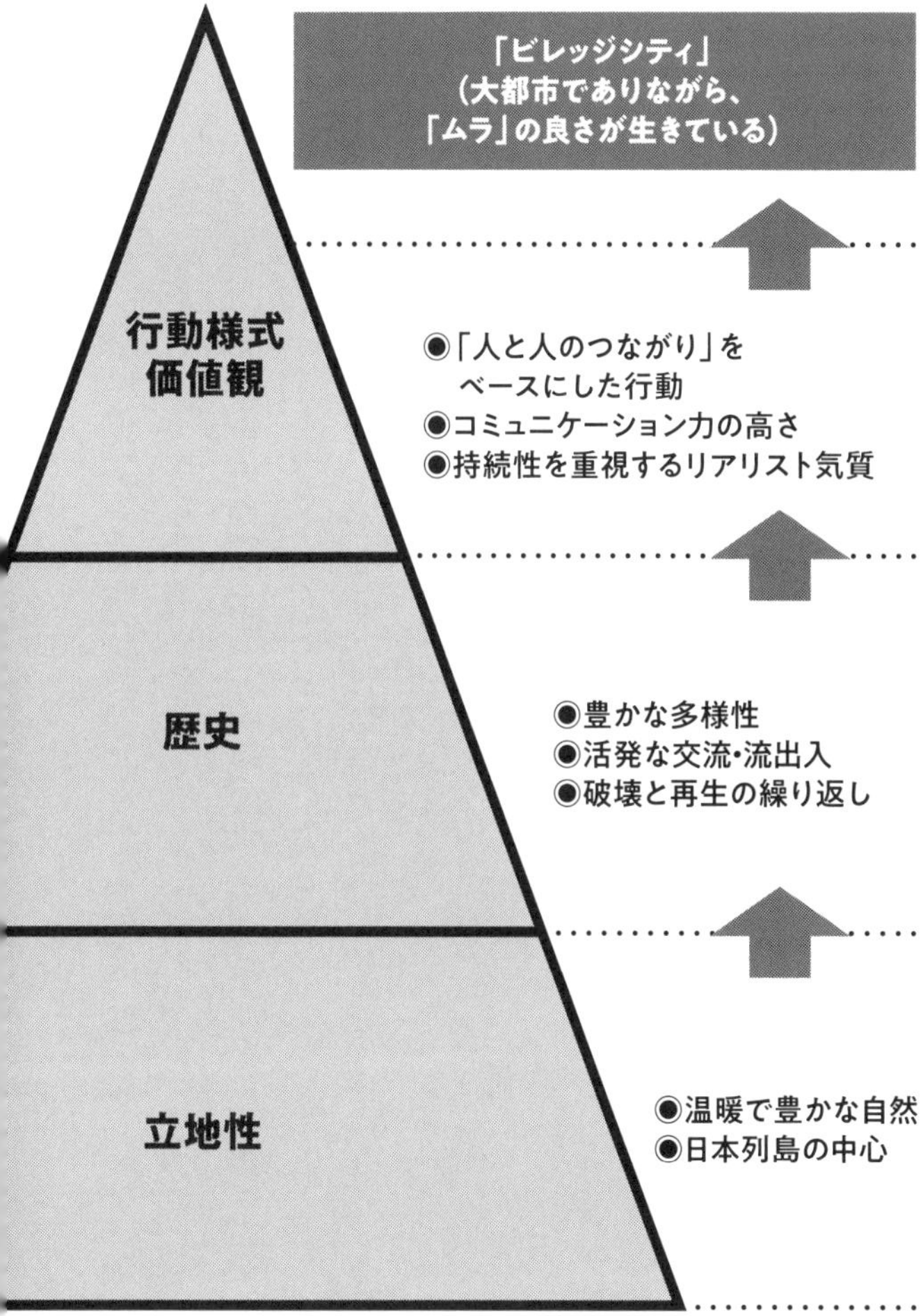

筆者作成

も大きい。しかも、行動原理が「その人はおもろいか」ですから、思いもよらない様々な化学反応が、そこかしこで自然発生しやすいのです。

「ビレッジシティ関西」が、「正解がひとつでない」21世紀型モデルを生み出す力を十分に持っているということが、おわかりいただけたでしょうか。

その力を発揮するタイミングが、２０２５年に大阪で開催される万博であり、まさに２０２５年の関西が日本と世界の転機となるのです。

独自戦略で逆襲する関西

東京のモノマネを捨てた!

大阪が地盤沈下した理由の一つとして、東京を意識しすぎたことが挙げられると思います。東京に対抗意識を持つと、東京の人も大阪を応援しにくくなります。やはり、敵を作るよりは味方を作るほうが、長い目で見ると良いでしょう。

東京はいまや世界でも屈指のグローバル都市です。長い時間を経て、大阪・関西とは全く生き様が違う都市になっています。野球にたとえれば東京は四番バッターで、大阪・関西はホームランは打てないかもしれないが、地道にヒットが打てる一番バッターみたいなものではないかと思います。ホームラン王ではなく、首位打者として活躍したイチロー選手のような姿が関西の逆襲のやり方です。

つまり、大阪はベンチマークを東京にしてはいけないのです。東京は各国の首都と競争していますが、大阪はその国の二番手都市です。味と個性が、関西が輝くために重要な要素です。

企業経営ではベンチマーク分析というものがあります。自社と競合他社を様々な観点から比較し、自社の競争力や強み、弱みなどを明確にするというものです。

これを都市にも当てはめていくことが重要です。それでは大阪はどこをベンチマークにすればよいのでしょうか。

姉妹都市と比較するとわかりやすい

一つの方法は姉妹都市をみることです。たとえば大阪市はサンパウロ（ブラジル）、シカゴ（アメリカ）、上海（中国）、メルボルン（オーストラリア）、サンクト・ペテルブルグ（ロシア）、ミラノ（イタリア）、ハンブルク（ドイツ）の世界7都市と姉妹・友好都市提携をしています。全般的に大都市であり、政治よりも経済に力点が置かれている都市が多いのが特徴的です。国際会議や国際イベントが多いところも似ています。

また、京都市はパリ（フランス）、ボストン（アメリカ）、ケルン（ドイツ）、フィレンツェ（イタリア）、キエフ（ウクライナ）、西安（中国）、グアダラハラ（メキシコ）、ザグレブ（クロアチア）、プラハ（チェコ）が姉妹都市です。こちらは大都市も含まれていますが、歴史と文化の香り高い都市といったイメージです。おしゃれな町が多いのも興味深いところです。

神戸市はシアトル（米国）と姉妹都市関係を結んでいます。シアトルは筆者も出張で行ったことがありますが、ボーイングなどの重厚長大産業もありつつ、マイクロソフトといったIT企業、スターバックスなどの飲食業まであり、産業のバランスが良いところが特徴的です。また西海岸にあり、米国の他都市よりも落ち着いており、任天堂がマリナーズのオーナーでもあったことから日本と縁が深くて日本人が住みやすい雰囲気もあります。バランスの良さという意味で、神戸市の目指す姿としてとても参考になりそうです。そのほかにもマルセイユ（フランス）、リオ・デ・ジャネイロ（ブラジル）、天津（中国）、リガ（ラトビア）、ブリスベン（オーストラリア）、バルセロナ（スペイン）、仁川（韓国）などと姉妹・友好都市関係を結んでいます。その国の中で個性を持っている都会的な都市が多いところが興味深いです。

このようにみると、姉妹都市は十分にベンチマークになりそうです。大阪は経済・商業、京都は伝統・文化、神戸は地場産業のバランスが良いといった具合に、それぞれ個性をもった都会であることを意識すると、京阪神はかなり面白い経済圏と言えるのではないでしょうか。やはり東京のモノマネは捨てることで、大逆襲の道筋が見えてきます。

住みやすさと新産業を生み出している都市はどこ？

姉妹都市以外にベンチマークを探す方法は何があるでしょうか。一つは筆者が参加している大阪府の「万博のインパクトを活かした大阪の将来に向けたビジョン有識者ＷＧ」のベンチマーク分析が参考になると思います。そこでは、①重工業等からの産業構造転換などにより、都市再生に成功した都市、②都市における成長産業等が大阪と類似する都市、③寛容性・多様性に富み、生活の質が高く世界から多くの人が集まる都市という観点から、コペンハーゲン（デンマーク）、バルセロナ（スペイン）、マンチェスター（イギリス）、シアトル、ピッツバーグ、ポートランド（アメリカ）をベンチマークとして議論しています。

これらの都市は、①大学や研究機関が都心に存在する、②スタートアップを包括的に支援する、③革新的な企業の集積と、大学・ベンチャー企業などと連携したイノベーションの促進、④良質な生活環境および移住しやすい環境が共通している、⑤重点となる産業を五つくらいに絞り込む、⑥時代の変化に合わせて地場産業を変えていく、という特徴があります。

関西も有名大学や高度な研究機関が多く、ベンチャー育成にも最近熱心になっています。東京ほど混雑していないというのも長所です。医療や電子部品などの製造業、観光業など強い地場産業もあります。大学とベンチャー企業と地場産業を上手くリンクさせて、新しい地場産業を作っていくことが重要になると思います。また、バルセロナではオリンピックを上手く活用して新しい街づくりを進めました。関西も万博を活かしていくことが大事でしょう。

以上を踏まえると、関西の逆襲は、個性を追求することから生まれそうです。東京とは異なるグローバル都市圏「関西」の躍進にぜひ注目してください。

第5章

大阪だからこそ創れる「もうひとつの未来」

テクノロジーが未来をつくる?

２０２５年大阪・関西万博のテーマは「いのち輝く未来社会のデザイン」です。大阪・関西からの提案によって、日本と世界の未来社会のあり方を変えていくことが、「大阪の逆襲」の壮大な目標です。

未来を語るときの重要なキーワードが「テクノロジー」であることを否定する人はおそらくいないでしょう。「ビレッジシティ」のよさを、いかにテクノロジーでパワーアップしていくべきか、その具体的なアイデアを本書の最後に考えたいと思います。

本章の前半では、少し関西から話が外れますが、テクノロジーを活用する上で陥りやすい罠を踏まえつつ、「多世代循環型の未来社会」のアイデアを紹介します。後半では、その実現に向けた大阪・関西の可能性と、これからの関西人の人物像を描きます。

21世紀に入って次々と先端テクノロジーが生まれ普及し、社会のあり方は急速に変わりました。たとえばスマートフォンが登場したのは２００７年のことです。たった10年間でスマホは世界中の暮らしと社会と産業を全く変えてしまいました。新しいテクノロジーが旧来の仕組みを徹底的に破壊し、新たな世界を創造することを「ディスラプション」と呼びますが、21世紀はまさにディスラプションの時代と言えるでしょう。

次々と登場する新しいテクノロジーは、社会をどう変えるのでしょうか。先進テクノロジーの普及見込みについてガートナー社が毎年発表するレポートを見ると、5Gや自動運転などの現時点（2020年）の先進テクノロジーも、2025年の万博開催時にはすでに当たり前のものになっていると思われます。そもそも、2030年代の未来を体験する場として、次の万博ではいまから10年後のテクノロジーを実証・実装しないといけません。

インターネットニュースや書籍では、未来社会のあり方をテクノロジー文脈で予想することが圧倒的に多いようです。VR（仮想現実）、AR（拡張現実）、IoT（モノのインターネット）、AI（人工知能）、5G（第5世代移動通信システム）、ロボット、ドローンなどのキーワードを見かけない日はありません。「IoTが普及すればこんな未来が実現する」「ドローンは社会をこう変える」という予測が巷にあふれています。この「未来のあり方はテクノロジーが決める」というような考え方を、「テクノロジーファースト」と呼ぶこととします。

我々は、こうした「テクノロジーファーストの未来像」とは異なる「もうひとつの未来」を創ることが重要だと考えています。なぜなら、どんなテクノロジーであっても、それを利用する人が「利用したくなるかどうか」が重要だからです。

キャッシュレス決済を例に取ります。なぜ日本では中国ほど急速にキャッシュレス決済が普及しないのでしょうか。

キャッシュレスは確かに便利です。しかし、現金決済に何かと課題があった中国と比べれば、日本ではキャッシュレスに変えるメリットがあまり大きくありません。消費税増税にからめた振興策によって、長い目で見れば今後確実に普及は進むでしょうが、利用者にとってわかりやすいメリットが大きいことが大事です。

テクノロジーファーストで取り組むと、利用者のメリットがおろそかになり、結果としてテクノロジー自体が目的化してしまう危険があるのです。それでは、新たなテクノロジーの利用は広がりません。テクノロジーは目的ではなく、社会をよりよくするための手段であることを忘れてはなりません。

スマートシティについて、ミチクリエイティブシティデザイナーズの河野通長社長はこう指摘しています。

２００８年ごろからのスマートシティでは、（略）『こういう技術があるから使い道を考える』という『産業主導・技術志向』の取り組みだった。（略）今のスマートシティもビッグデータや自動運転など技術が主体だ。だが、イノベーションにつなげるには、そこに暮らす住民の視点が不可欠だ。

〈中略〉

（欧米では）近年は、都市ごとに異なる課題を住民の視線で捉え、住民主体で解決するプロセスをスマートシティととらえる考え方が一般化している。『住民主導・問題解決志向』の方向性だ。日本とは逆に、まず住民が抱える課題があり、解決に使える技術を探す取り組み方だ。

（日本経済新聞２０２０年３月18日）

この指摘における「イノベーション」とは、単なる技術革新のことではなく、社会のあり方を変革するという意味です。真の社会変革のためには、テクノロジーファーストではなく、市民の視点で取り組むべきだという指摘です。

2025年大阪・関西万博で未来社会のあり方を考える際も、テクノロジーファーストではなく、市民の視点で、社会課題解決のための手段としてテクノロジーをどう活用すればよいか考えることが重要です。

テクノロジーは世界を均質化する

社会課題解決のための手段としてテクノロジーを活用する動きは、すでに世界中で広まりつつあります。一口に社会課題と言いますが、地球規模のビッグな社会課題もあれば、地域ごとに固有なスモールな社会課題もあります。テクノロジーファーストを乗り越えるにあたって、我々は社会課題をどうとらえていけばよいのでしょうか。

社会課題解決に取り組む起業家のことを「社会起業家」と呼びます。彼らは、デジタル技術やＡＩ、ロボットなどのテクノロジーを活用することが多いです。

たとえば、ウェアラブル端末で身体状況を測定するヘルスケアビジネスは、健康寿命延伸という社会課題を解決する新ビジネスとして、日本でも世界でも多数登場しています。

健康や高齢化、移動（モビリティ）、決済など、ビッグな社会課題は世界共通です。世界共通のビッグな社会課題を解決するビジネスは、地域を越えて世界に普及するのでビジネスサイズが拡大しやすい、つまり社会起業家にとってチャンスが大きいと言えます。

別の言い方をすれば、課題が同じであれば世界中どこでも同じテクノロジーが普及する確率が高いということです。同じテクノロジーが普及すれば、世界中どの地域も似たようなライフスタイルになっていくことでしょう。たとえばスマホの普及の結果、世界中どこでもＳＮＳが生活の一部となりました。あるいは、（純粋にテクノロジーの話ではありませんが）コンビニの24時間営業は、日本中の暮らしと街のあり方を変えました。

ということは、地域の独自性は、テクノロジーの普及によってだんだん薄まっていく可能性があります。未来はどの地域もみんな似たり寄ったりの街になっていくのかもしれません。地域格差の解消という意味でテクノロジーの果たす役割は大きいと思われます。

しかし、日本中世界中の街がみんな似たり寄ったりの金太郎飴になってしまうのは、私たちにとって本当にうれしいことでしょうか。市民の視点で考えると、少し疑問です。

東京一極集中が進む日本では、地域の個性が失われると、経済規模の大きい東京の独り勝ちがいっそう進むだけではないでしょうか。地域から人材、特に若い人材が東京へ流出し、長い目で見れば地域の持続性が失われてしまうかもしれません。

ヨーロッパの街では、中心部からあえて自動車を排除し、その代わりにトラム（路面電車）を活用して、古い街並みと暮らしを守る動きがみられます。自動車という普遍的なテクノロジーの普及に待ったをかけてでも、街の個性を維持しようという取り組みです。

都市とは、そもそも何らかの共通課題を解決するために人々が自然に集まって形成されたものでしょう。したがって、都市には、その地域の共通課題を解決する能力が、本来備わっているとも言えます。だとすれば、都市が持つ固有の課題解決能力をさらに増強するためにテクノロジーをどう活用すればよいか、都市の個性に合ったやり方を探していくことが求められます。

自動運転でも、米国のような広大な国土を長時間移動するための自動運転と、日本のような狭く密集して公共交通機関が発達した都市部を移動するための自動運転では、求められるものが違うでしょう。あるいは地方山間部の過疎地域で高齢者が安心して移動するための自動運転でも、やはり違うかたちとなるはずです。

テクノロジーファーストを乗り越えるにあたっては、それぞれの地域の課題に即して、テクノロジーの使い方をきめ細かく考えることも大切です。

高齢者ファースト社会の落とし穴

テクノロジーファーストを乗り越えて、社会課題解決型の「いのち輝く未来社会」をデザインするにあたり、避けて通れないのが、高齢化という2025年問題です。高齢化問題の解決のために、テクノロジーをどう活用すればよいのでしょうか。

政府は、「第5期科学技術基本計画」（2016年1月）の中で、こう述べています。

「少子高齢化が進む我が国において、個人が活き活きと暮らせる豊かな社会を実現するためには、ＩｏＴの普及などにみられるシステム化やネットワーク化の取組を、ものづくり分野だけでなく、様々な分野に広げることにより、経済成長や健康長寿社会の形成等につなげ、人々に豊かさをもたらす超スマート社会を実現することが重要な課題である」

「社会全体でみると、高齢者にとっては、第4次産業革命の恩恵は相対的に大きいとみられる。具体的には、ウェアラブルによる健康管理、見守りサービスによる安心の提供、自動運転による配車サービスなど公共交通以外の移動手段の普及などにより、高齢者も活き活きと生活できる環境の整備が進むものと期待される」

端的に言えば、テクノロジーの力を活用して、高齢者が活き活きと生活できる社会の実現を目指そうということです。高齢者は市場として巨大かつ成長市場なので、今後、高齢者をターゲットとした新しいテクノロジーやサービスがどんどん登場するでしょう。その結果、日本中で、「高齢者にとって暮らしやすい地域」が増えていくことでしょう。

しかし、そうした地域は持続可能か、10年後、20年後はどうなっているのかを考えなくてはなりません。

「高齢者にとって暮らしやすい地域」は、若い世代にとって魅力的でしょうか。極端に言えば、若い世代よりも高齢者を大事にする「高齢者ファースト社会」に私たちが向かっているとしたら、未来は決して楽観できないように思います。

超高齢社会における希少資源（レアメタル）とは何か――それは、若い世代です。超高齢社会であっても、いや超高齢社会だからこそ、未来を担う若い世代の可能性を育み、彼らの活躍を応援しないことには、明るい未来は築けません。

高齢化課題の解決は、ダイレクトに高齢者対策を充実させることだけではありません。もちろん高齢者が活き活きと活躍できることは大切ですが、それと同時に、希少資源である若い世代に目を向ける必要があります。テクノロジーをそのためにも活用すべきです。

目指すのは「多世代循環型の未来社会」

若い世代に目を向けた「いのち輝く未来社会」とは、一体どのようなものでしょうか。

1970年の大阪万博は、若い世代に活躍のチャンスを与えたと言われます。次の2025年大阪・関西万博でも若い世代の起用が大きなテーマです。

経産省の大阪・関西万博具体化検討会「万博計画具体化検討ワーキンググループ」の報

告書（2019年7月）には、7名の委員と131名の有識者から意見が寄せられており、その中にも若い世代の起用について多くの意見が見られます。

「万博の準備にかかわるあらゆる分野で、ベテランや実績ある大企業に限らず、意欲と実力のある若手が登用される道を確保することが必要」（京都大学大学院教育学研究科教授　佐野真由子氏）

「特に若い世代が広く権限と責任を与えられ、新しい価値やしくみを創出する機会になることを常に意図する」（ｎｏｉｚパートナー　豊田啓介氏）

「次世代を担う若いクリエイターが主体となるプラットフォームを設けて、その成果を事業に反映させる」（大阪府立大学研究推進機構特別教授　橋爪紳也氏）

2030年代の未来社会をデザインすることが目的の万博ですから、若い世代が主役となるのは当然のことでしょう。ちなみに、2030年に20歳となる世代は2010年生まれで、今年（2020年）はおおむね小学4年生です。私事ですが筆者（荻洲）も、19

70年は小学4年生で、万博は本当にワクワクする夢のイベントでした。

若い世代を応援する取り組みは、日本全国で様々に進められています。

関西では、兵庫県明石市の子育て支援策が有名です。子どもの医療費は中学3年生まで無料、保育料も二人目から無料です。いずれも親の収入に関係なく適用される制度となっています。その他の支援策も充実しており、その結果、2018年まで6年連続で人口が増加し、出生数も4年連続で増加しました(「広報あかし」2019年8月15日)。

このような取り組みの先には何が必要でしょうか。

筆者の知人に、明石市で子育てをした家族がいます。二人のお子さんが相次いで京都市内の大学に入学して、二人とも実家を出て一人暮らしを始めたことをきっかけに、夫婦二人で京都市の中心部に転居してしまいました。こうしたケースは、子育て支援策の先に必要なことは何か考えるヒントを与えてくれます。

もうひとつの事例をご紹介します。

本書の構想を検討していたとき、大阪のいくつかの大学で学生の方々の意見を聞きました。お会いした学生の出身地は関西だけでなく様々でしたが、卒業後もできれば関西で暮らしたいと話してくれました。しかし、現実には、卒業後の就職先候補として、関西ではなく東京の企業を挙げる人が大多数でした。厳しい就活において少しでも可能性を広げたい、であれば企業数が多い東京を目指す。そんな本音を垣間《かいま》見ることができました。

人口動態データを見ても、京都府、大阪府においては、大学入学年齢層（15～19歳）では転入超過であるにもかかわらず、大学卒業後、特に働き盛りの30代以降になると一定数が府外に転出してしまうという傾向が見て取れます。

このように見てくると、子育て世代の支援、高等教育の整備、それに加えて良質な就労環境の充実など、持続可能な街づくりの課題は数珠つながりであることがわかります。

大切なことは、若い世代を引きつけるとともに、若い世代が地域に定着して、さらに次の世代へと世代のバトンをつないでいける、そんな地域づくりです。増大する高齢者も活き活きと活躍できるとともに、若い世代の活力にもあふれた地域、つまり「多世代循環型の社会」をつくっていくことが求められています。

かつてのニュータウンや昨今ブームのタワーマンションのように、世代やライフスタイルが比較的近い住民たちが集中して暮らす均一な地域ではなく、若い世代から高齢者まで、多様な住民が混ざり合う地域こそが活力を長く維持できます。

若い世代から高齢者まで、すべての世代が持続的に「いのち輝く」ことを可能にする「多世代循環型の未来社会」をつくるチャンス、それが2025年大阪・関西万博です。

多世代循環型の「いのち輝く未来社会」5つのアイデア

テクノロジーファーストの未来像ではない「もうひとつの未来」、それは市民視点・課題解決志向の「多世代循環型の未来社会」です。以下の手順で実現します。

・地域が抱える解決すべき社会課題を見つける
・テクノロジーを活用して、地域の課題解決力をパワーアップ
・多世代循環型の持続可能で個性豊かな地域社会をつくる

テクノロジーを味方につけて、強くしなやかに適応する地域をつくる、そんな試みが求

められています。2030年代へ向けて、いろいろアイデアを出してどんどんトライしていくことが大切です。本書でも、以下の5つのアイデアを考えてみました。読者の皆さんは、どのようなアイデアをお持ちでしょうか。

みんなのアイデアを形にする機会、それが2025年大阪・関西万博です。2025年、関西が「もうひとつの未来」の発信拠点となります。

アイデア1 コネクテッド町内会

社会課題というと小難しくて自分たちと距離があるように感じますが、高齢者の一人暮らし、認知症患者の徘徊、ワンオペ育児、シングルマザー、ひきこもり、ゴミ出し問題、空き家問題、防災、防犯、シャッター商店街、インバウンドの観光公害……様々な「ご町内」の課題は、社会課題の縮図です。これらの課題を解決できなければ、地域社会の持続性は失われていきます。

地域におけるデータテクノロジーの活用について、こんな記事を見つけました。

（地域づくりや地域再生に共通するのは）住民、あるいはステークホルダー間の対話や合意形成の場となるプラットフォームの重要性である。ボランティア組織や協議会だけでなく、町内会のような既存の組織まで様々な形が考えられるが、その地域に根差したコミュニティであることが望ましい。（略）まちの課題解決、再生や活性化についてのボトムアップの取り組みがあってこそ、データは意味を持つのである。決して逆ではない。

（日本経済新聞２０１９年2月27日）

町内会は確かに年代物の組織ですが、それをテクノロジーでパワーアップしてみるのは面白そうです。

「ご町内」単位の人と人のつながりを通じて、住民一人ひとりの幸せを紡ぐ取り組みは、誰一人置き去りにしないというＳＤＧｓの理念そのものです。

我々は、テクノロジーで町内会の機能をパワーアップした未来形のそれを「コネクテッド町内会」と名づけました。町内会のメンバー同士がテクノロジーの力で常時接続し、ネットワーク化することで、課題解決能力を高めます。たとえば、高齢世帯や子育て世帯の支援、あるいは使用頻度の低いレジャーグッズや余り物の貸し借り・交換など、そんな身近なことからでも、町内会メンバーがつながり合うことで解決できる困りごとは多いでしょう。

バルト三国の一つ、エストニアは人口130万人ほどの小国です。先進的な電子政府の試みで世界から注目されています。行政手続きの99%が電子化され、外国人でも簡単な手続きで電子国民となることができます。日本人の登録者も二千人を超えるそうです。

そんな仕組みを持ったコネクテッド町内会があってもいいかもしれません。

テクノロジーの力があれば、町内会のネットワーク力を高めるとともに、行政やNPOや他の地域の住民など、多様なプレイヤーと縦横無尽につながることも容易になります。

あくまでも筆者の主観ですが、関西に住んで気づくのは、町内会が元気なことです。地元に長く住んでいる住民が多いせいでしょうか。あるいは少々お節介で世話焼きな関西人気質のせいでしょうか。わが街のことに詳しくて顔が利く、元気な住民たちがどの街にもいるようです。いわば「ご町内」のネットワークが健全に生きています。

関西に限らず、そんな地域が日本には他にもいっぱいあるでしょう。2025年大阪・

関西万博を、日本中にコネクテッド町内会を増やしていくきっかけにできないでしょうか。

アイデア2 お祭り4・0

郊外のベッドタウン化や核家族化によって、地域社会の求心力や一体感が失われたと言われて久しいです。高齢化が進み、活力を失いつつある地域社会も少なくありません。地域住民の一体感を再生し、人々からプラスのエネルギーを引き出すことが必要です。

そこで着目したいのは、「お祭り」です。

お祭りが盛んな地域は多いですが、関西では岸和田だんじり祭や京都祇園祭など、全国的に知名度が高いお祭りがいくつもあります。そうした有名なお祭りだけでなく、地元に根づいたたくさんのお祭りがしっかりと守り継がれています。

NPO法人「日本の祭りネットワーク」のWEBサイトによれば、「日本の祭りは、神事系、習俗系、イベント系など全てを含めれば年間数十万件」とのことで、「その種類と数は圧倒的に世界一」です。

また、お祭りの効用について、同サイトはこう説明しています。

「祭りの中には感謝の心、絆（助けあい）、純粋な感動、自然への畏敬など、私たちがいま忘れかけたことが詰まっています」

筆者が思うに、お祭りには人間の持つエネルギーを増幅したり解放したりする力がありますが、現代社会では、いろいろな制約の中で何かしら息苦しさを感じる人が増えていますが、お祭りはそうした息苦しさを一気に解放できる場としても貴重です。地元の人以外にもオープンに開かれたお祭りになれば、お祭りを通じて地域の持続性を高めることにもつながりそうです。

単なる気晴らしを超えて、オープンに参加できるお祭りという仕掛けを通じて、人間の持つ潜在能力を発揮する。そんな取り組みは、伝統的なお祭りだけではありません。

スポーツのお祭りはオリンピックですし、工学系学生のお祭りとしてロボコン（ロボットコンテスト）も人気です。ビジネスの世界でも、世界最大のイノベーションのお祭りとして米国のテキサス州オースティンで毎年開催されるサウス・バイ・サウスウエスト（SXSW）は有名です。2025年大阪・関西万博も、壮大なお祭りと言えます。お祭りはなかなか多様です。

そこで、2025年大阪・関西万博というビッグなお祭りをきっかけに、暮らしもビジネスも、あえて何もかもお祭り化してみる、日本各地で地域全体を365日「万博化」してみる、というのはどうでしょうか。

市民参加の可能性を広げるために、もちろんテクノロジーを活用します。伝統的なお祭りを「お祭り1.0」とするならば、テクノロジーの力を取り入れた「お祭り2.0」（たとえば、リアルでもバーチャルでも参加可能なお祭り）、ソーシャルネットワーク化した「お祭り3.0」（たとえば、参加者の意見でリアルタイムにかたちを変えていくお祭り）、そして共創プラットフォーム化した「お祭り4.0」（たとえば、日本で開発した仕組みを世界中の人たちにも使ってもらい、さらに進化させていく）……そんな未来形のお祭りが定着していけば、地域社会の活力も再生していくでしょう。

アイデア3 スマオ（スマートオカン）

人口減少時代のなか、女性の活躍は重要な課題です。しかし、世界的に見れば日本の女性の活躍はまだまだ遅れていると指摘されています。

たとえば世界経済フォーラムが毎年発表しているグローバル・ジェンダー・ギャップ指数（世界男女格差指数）の２０１９年版では、調査対象１５３か国のうち、日本は１２１位となりました。前年（１１０位）から順位を落とし、先進国では最低水準です。

そこで、日本の女性の活躍度を一気に進めるためにテクノロジーをもっと活用することが必要です。たとえば、急速に普及しつつあるテレワークは、女性の働き方の多様性も確実に広げていくでしょう。世界を席巻した「#MeToo」運動や、日本における「#KuToo」運動は、ソーシャルネットワークというテクノロジーの力があってこそ大きな影響を及ぼしました。将来、５ＧやＡＩといった先進テクノロジーを、女性がもっと活躍するためにどう活用できるか、真剣に取り組むべきです。

実は関西は女性の就業率が全国の中では低い方です。15歳から64歳の生産年齢の女性の就業率（労働力率）は全国平均が67・３％ですが、最も低いのが奈良県（61・１％）、次いで兵庫県（63・９％）、大阪府と神奈川県（同率の64・５％）、埼玉県（65・６％）の順となっています。京都府（66・４％）も全国平均以下です。

２０２５年大阪・万博をきっかけに、大阪のおばちゃん（またの名をオカン）や京おんな、神戸マダムなど関西の女性たちを、テクノロジーの力でさらにパワーアップしてはどうでしょうか。それがスマート化したオカン「スマートオカン」、略して「スマオ」です。たとえば、どんな難問でも笑顔で解決してしまう数百万人のオカンの知恵をＡＩに深層学習させ、様々な社会課題の解決に役立てる、そんな取り組みを関西の女性たち自身の手で進めてみても面白そうです。

タテマエでなくホンネで考えホンネで動く女性たちが、テクノロジーの力によって社会でもっと活躍できるようになれば、日本の活力はもっともっとパワーアップするでしょう。

アイデア4 ソーシャル私塾

いのち輝く未来社会のデザインのために、教育はどう変わるべきでしょうか。

中央集権的とも言われる日本の教育制度は、社会課題解決能力が高い未来形人材を、今後輩出していけるのでしょうか。

かつて関西では、教育に関して先進的な取り組みがいくつも見られました。

大阪大学は、蘭学者・医者として知られる緒方洪庵が1838年（天保9年）に大阪市中心部の船場《せんば》に開いた蘭学の私塾「適塾」をその前身としています。適塾は福沢諭吉、大村益次郎をはじめとして幕末・明治の偉人たちを多く輩出しました。国立大学が私塾から始まったというのは、いかにも大阪らしい話です。

明治維新で都が東京へ移り荒廃した京都は、すぐさま教育に力を入れます。京都で日本最初の64の学区制小学校（番組小学校）が創設されたのは、早くも1869年（明治2年）のことでした。また、兵庫県で酒どころとして有名な灘《なだ》の酒造家たちが協力して設立した学校が、名門校として有名な灘中学・灘高校です。そのほかにも、関西には民間が設立した学校が数多くあります。

こうした教育の伝統、特に私塾の伝統をいまこそ見習うべきではないでしょうか。

2025年大阪・関西万博は「共創（コ・クリエーション）」をひとつのテーマとしています。人々がともに考え、ともに学びあう場こそ、万博です。

SNSなど、人々が直接つながるテクノロジーは、共創のための絶好のツールです。かつての緒方洪庵のように一人の傑物が主導するのではなく、テクノロジーの力を活用して人々が相互に教え合う、そんな新しいスタイルの私塾が、2025年大阪・関西万博のあるべき姿かもしれません。

アイデア5 SDJs（サステナブル・大好きな・地元s）

2025年大阪・関西万博の目的はSDGsの達成です。しかし、SDGsは大事だと頭ではわかっていても、飢餓とか気候変動といった壮大な課題はどうしても他人ごとになりがち、というのが生活者の本音でしょう。

ある大手通信インフラ企業の役員の方から聞いた話ですが、ITを活用した地域おこしに取り組む際、一番うまくいくのは小学校の学区単位に施策を進めることだそうです。「地域」というよりは「地元」といった方がしっくりくるかもしれません。

いきなり地球規模の社会課題に取り組もうとするのではなく、自分が愛する地元をどうすればサステナブル（持続可能）にできるか、そんな問いから始めてみることが大切かもしれません。自分の地元のことであれば、できること、やらなければいけないことがはっきりします。愛する地元のためであれば、勝手に身体が動き始めます。つまり、外からのお仕着せではなく、「地元」単位で各々が住む地域ごとに自らの未来をかたちにしていく、そんな動きをＳＤＧｓならぬ「ＳＤＪｓ《エスディージェイズ》」と名づけました。

Ｓはサステナブル、Ｄは大好きな、Ｊは地元、のそれぞれ頭文字です。

本家のＳＤＧｓは、「貧困をなくそう」「飢餓をゼロに」など17の目標から成り立っており、それぞれの目標ごとに10前後の「ターゲット」が定められています。ＳＤＧｓ全体では１６９のターゲットがあるのですが、それぞれのターゲットごとに具体的な数値目標（ＫＰＩ）が決まっています。たとえば、「２０３０年までに、現在１日１・25ドル未満で生活する人々と定義されている極度の貧困をあらゆる場所で終わらせる」などです。

ＳＤＪｓでも、こうしたＫＰＩを設定し、進捗成果を「見える化」して人々の活動を促進していくことが大切です。ＫＰＩは、住民の「地元大好き度」です。地元大好き度を高く持続することを通じて、住民自身が考え行動するきっかけをつくります。もちろんテクノロジーの力を最大限活用します。

コラムで「関西は一つひとつ」と書きましたが、多様な地元がたくさん集積しているのが、万博が開催される関西の特徴です。こうした関西でせっかく万博が開催されるのですから、この機会に、関西の多様な地元それぞれでSDJs運動を始めてみて、その成果を万博の場で日本と世界に向けて発信してみてはどうでしょうか。

SDJsに取り組む地元が、関西発で日本全国に、そして世界中に広がっていけば、最終的に地球規模でSDGsの達成が大きく前進することでしょう。

シンギュラリティは脅威か

「ビレッジシティ」をパワーアップさせた「多世代循環型の未来社会」の5つのアイデアはいかがだったでしょうか。このような社会を築いていくのは、言うまでもなく関西に生きる関西人です。地域としての関西、および個人としての関西人のアドバンテージをここまで記してきましたが、本書の最後に、将来のビジネス環境における関西人のコンセプト、関西人の戦略を描いてみたいと思います。

いささか旧聞ではありますが、将来人間から機械に置き換わると予測されている仕事がたくさんあります。図5-1

ランキングトップは「小売店販売員」ですが、単にリアル店舗がネットショッピングに置き換わるだけでなく、買い手の好みを理解し、おすすめ商品や関連商品を提案することにおいても、機械の方が人間より上手にできることを意味しています。

また、ダイナミックプライシングと呼ばれる、需要と供給のバランスを瞬時に計算し、価格を変動的に決めるしくみも、航空運賃やホテル代金などで実用域に入っています。いつ利用するかだけではなく、いつ予約するかによっても値段が変わるといった具合です。価格決定は経営の根幹であり、熟練したベテランが携わってきた領域ですが、あらゆる製品・サービスの価格が動的になり、機械の判定なしには決められないという時代はすぐに来るでしょう。

極端な主張のひとつが、近い将来、ＡＩは人間の知的能力を凌駕するというものです。米国の未来学者のレイ・カーツワイル氏は、２０４５年にコンピューター技術の特異点（＝シンギュラリティ）が訪れ、機械が自ら考え、機械同士がコミュニケーションし、その後の技術進歩は機械の手に委ねられ、人間はその配下に置かれると予測しています（『シンギュラリティは近い［エッセンス版］人類が生命を超越するとき』レイ・カーツワイル、

図5-1 機械が奪う職業・仕事ランキング（米国）

順位	職業名や仕事内容	代替市場規模（億円）
1	小売店販売員	144,342
2	会計士	118,023
3	一般事務員	110,343
4	セールスマン	97,503
5	一般秘書	91,379
6	飲食カウンター接客係	89,725
7	商品レジ打ち係や切符販売員	88,177
8	箱詰めや積み降ろしなどの作業員	81,920
9	帳簿係など金融取引記録保全員	73,454
10	大型トラック・ローリー車の運転手	67,297
11	コールセンター案内係	58,508
12	乗用車・タクシー・バンの運転手	53,402
13	中央官庁職員など上級公務員	48,052
14	調理人（料理人の下で働く人）	46,414
15	ビル管理人	44,902
16	建物の簡単な管理補修係	42,877
17	手作業による組立工	41,937
18	幹部・役員の秘書	41,748
19	機械工具の調整を行う機械工	41,599
20	在庫管理事務員	40,682
21	広告・市場調査の専門職	40,203
22	自動車整備士・修理工	39,644
23	建設作業者	39,100
24	保険販売代理人	35,552
25	在宅看護担当者	33,387
26	窓口対応係	33,062
27	コンピュータサポートデスク	32,957
28	食器洗い作業者など	31,999
29	警備員	31,724
30	郵便集配、取扱作業員	29,515
31	保険・証券担当事務員	29,201
32	権利ビジネス代行者	27,847
33	ローン審査担当者	27,750
34	庭師、園芸作業者	27,566
35	不動産鑑定士	26,348
36	通関士、荷送人	25,746
37	大工、建具職人	25,319
38	不動産業者、資産管理人	24,603
39	バスの運転手	24,405
40	産業用機械の整備・組立工	24,351
41	事務管理サービス業	24,044
42	品質検査係	23,038
43	法務関連の事務または支援係	22,860
44	土工機械運転工	22,365
45	財務・投資顧問	22,363
46	料理人	22,144
47	リフト付きトラックの運転手	21,735
48	教師補助員	21,705
49	バイヤー	21,040
50	会計・経理事務員	20,946

出典:『週刊ダイヤモンド』2015年8月22日号

＊1ドル125円換算。【ランキング作成方法】トーマツベンチャーサポートの森山大器氏の協力を得て、英オックスフォード大学のオズボーン准教授らの論文「THE FUTURE OF EMPLOYMENT : HOW SUSCEPTIBLE ARE JOBS TO COMPUTERISATION?」と、米労働省の職業コードを対応させ、就業人口と平均年収から機械によって代替される市場を算出。さらに国際標準職業分類のISCOコードに変換し、日本語対応させた

NHK出版)。人間は、社会の進歩において、補助的な役割しか果たさなくなるのです。同氏はこれまでの技術進化の予測を的中させてきたこともあり、決して絵空事ではない将来像として、一時大いに注目されました。

いささかぞっとするディストピアでありますが、一方で、シンギュラリティは来ない、コンピューターは万能ではないと主張する専門家もいます。『ロボットは東大に入れるか』プロジェクト」(通称「東ロボ」)のリーダーの新井紀子氏です。

同氏が「東ロボ」を通じて明らかにしたことは、コンピューターは読解力に乏しいということでした。機械が人間の言葉を理解し、文脈を読み取り、主張を返すのはなかなか難しいようです。

コンピューターが得意なのは、論理、確率、統計であり、意味を理解したり創造したりするには、それらとは違う能力が必要だそうです。とはいえ、AIが人間の仕事に対する脅威であることは変わりありません。そのような中で、ビジネスにおける有能な人材とは、「読解力」「論理力」「コミュニケーション力」(の高い人)であると同氏は指摘しています(日本経済新聞2019年6月17日)。

関西人が持つ「AIに負けない力」

では、「読解力」「論理力」「コミュニケーション力」の中で関西人が得意とすることは何でしょうか？　そう、第4章で指摘したコミュニケーション力です。

コミュニケーション文化が圧倒的な関西は、コミュニケーション力はもちろんのこと、それを通じて他人の主張を理解する読解力や、自分の考えをわかりやすく伝える論理力を身に付ける上でも、とても有利だと言えるでしょう。関西は、生活空間それ自体がコミュニケーションの道場のようなものです。知らずしらずのうちに、AI時代を生き抜くスキルが身に付くのです。

カナダで制作された「遊びの科学（The Power of Play）」というドキュメンタリーがあります（NHK『BS世界のドキュメンタリー』で2019年11月26日に放送）。そこでは、人間だけでなく、他の動物や昆虫も特に目的なしに遊ぶことが紹介されています。えさを探したり、相手を威嚇《いかく》するのとは全く無関係にじゃれ合ったり、競走したりするのです。

それらはコミュニケーションの手段であり、生きるということの本質の中に、目的に縛られない「遊び」があるということのようです。

コンピューターは、インプットされた情報を目的にしたがって計算し、「○○円で売れる確率が70％」などと答えを出します。そのような仕事は機械に任せ、私たち人間はその答えからはずれた、遊びのある自由なアイデアを出せばいいのです。他人との会話や共同の体験などを通じて、一見無駄に思えるアイデア、ばかばかしいアイデアといった、すぐにはビジネスの成果に直結しないアイデアこそが、次のイノベーションの種になるはずです。

関西人のボケとツッコミの掛け合い漫才のような会話は、論理的な思考にも役立つと筆者は考えています。関西人は、自分の主張はさておき、「今、何が語られていないか」にアンテナを張り、何を発言すると面白くなるか、どう反論すると話題が広がるかを考えます。論理の構築やコミュニケーションの訓練手法のひとつに、ディベートがありますが、「屁理屈」を含め、関西人の会話はディベートにとても近いものがあるのです。

ディベートでは、たとえば「万国博覧会は現代社会にとって有意義か？」といったテーマについて、万博賛成派と反対派に分かれて意見をたたかわせ、論理の構築力を磨きます。このような会話の本質は、多様な視点を認め、人と違った意見、ユニークな意見を面白がるということです。

コミュニケーション力を土台にして、会話全体のトーンや空気感、おおよその結論をつかむ「読解力」、その結論に反論する理屈を考える「論理力」。これらを生真面目にやるのではなく、面白がる精神でやってしまうところが関西人の特長です。

先に見た5つの未来像でも、町内会・お祭り・オカン・私塾といったフェイス・トゥ・フェイスのコミュニケーションを前提とするものばかりです。人と人のコミュニケーションを大切にして、それを促進・補完するようにＩＴ技術を活用するのが、関西人が目指すべき戦略でしょう。

リアリストでチャレンジャーな関西人

米国の調査会社ギャラップ社が２０１７年に実施した調査によると、日本企業の「熱意にあふれる社員」の割合は6％で、米国の32％と比べてはるかに低く、139か国中132位と最低レベルです（日本経済新聞2019年10月30日）。にわかに信じがたい結果ですが、仕事の現場感覚からすると、真っ向から否定できないのも事実です。日本人の熱意はどこへ行ってしまったのでしょうか？　意欲的に仕事に向き合う姿勢やチャレンジする精神が乏しくなっているのでしょうか？

第4章でも名前を挙げましたが、明治期に大阪経済の基礎を築いた五代友厚という人がいます。NHKの連続テレビ小説『あさが来た』で、ディーン・フジオカが演じたことで注目され、大阪北浜にある銅像が一躍観光名所になりました。そのドラマで五代がよく口にしたのが「ファーストペンギン」という言葉です。集団で行動するペンギンの群れの中から、天敵がいるかもしれない海へ、魚を求めて最初に飛びこむ1羽のペンギンのことです。その〝勇敢なペンギン〟のように、リスクを恐れずチャレンジする人を指します。

やはり関西の経済界はチャレンジ精神旺盛だ、と言いたいところですが、そう一筋縄ではいかないのが関西人です。リアリストの関西人からすると、「なんで好き好んで最初に飛び込まなあかんねん」となるのではないでしょうか。チャレンジする前には、必ずリスクに目配りするのが関西人です。かけ声だけでは踊らされずに、クールな現実解を探ります。当研究会には福岡出身者がいますが、彼いわく、福岡人はかっこよく「ファーストペンギンを目指せ」と言われると、それに影響される素直な人が多いようです。その点は福岡と関西では性格が異なるのでしょう。

さて、この関西人の現実主義は、これからの働き方を考える上で重要です。優勝劣敗と言えば聞こえがよいですが、敗者が使い捨てにされる競争社会は継続するはずがありません。日本企業の「熱意にあふれる社員」の割合は6％という、ギャラップ社の調査結果ですが、これは熱意を失ったというよりも、「世の中の状況をみて、やみくもに挑戦するのではなく、じっくり考えて、すべてのバランスをとろうとしている」とポジティブに見る方が適切だと思います。逆に言えば、ある程度自分の目指すところと一致できるのであれば、関西人はチャレンジャーにもなれます。

21世紀型組織はここから生まれる

個人や家族の幸せという生活の基盤を大事にするリアリストと、ビジネスでの可能性を追求するチャレンジャーの両面を持った人物像は、これからの働き方のモデルとさえ言えるでしょう。博報堂のサイトに、2019年に行われた若者世代の意識についての対談記事があります（https://hakuhodo.co.jp/magazine/60251/）。

ここでは、これから目指すべき社会を表すキーワードとして「ヘルシー」が挙げられています。生き方の指針として、「心地よくて無理がない。自然で、前向きで、継続性があるような状態」のことです。ビジネスにおけるチャレンジも、このような生き方の上でこそ、取り組んでいけるはずです。大都会の熾烈《しれつ》な競争の中、燃え尽きるところまで働いて地元に帰るというモデルではなく、職・住のバランスを取りながら、継続的に生きることが求められます。

このような考え方は、決して日本だけのものではありません。2018年に邦訳版が発刊された『ティール組織』（英治出版）という書籍が注目されました。従来の上下関係を基本とした「達成型組織」は、「油断したら死んでしまう」という恐れで人を動かすことにより、社員に疲弊感が蓄積します。また、人が持っている能力のうち、決められた役割に必要とされる一部の能力しか活用されないため、創造性や情熱が犠牲になります。

そのような組織の欠点を克服するために、同書では組織の存在目的を重視し、セルフマネジメントによる自主経営を行う「ティール組織」の可能性を提示しています（ティールとは青緑色のことで、ここでは、上司に細かく指示されなくても目的達成のために進化を続ける組織を意味します）。

企業組織では上司から与えられた課題の達成を目指す、達成型のマネジメントもある程度は必要です。高い目標を達成したときの充実感は人生の喜びです。しかし、永遠に目標を達成し続けることは不可能です。それどころか、表面的にそれを可能とするために目標を低く置く、すなわちチャレンジしないことにもつながります。

これから求められるのは、無駄や冗長性はあるけれどもメンバーそれぞれが自律的に行動する、人間主導の組織です。図5-2

これは、158ページで紹介した連峰型のパラダイムに通じます。日本の競争力という大きな文脈でも、このような組織のあり方、個人の働き方は希望が持てるものだと考えています。

立場によらず自然に、自分の意見を主張したり、反論し合ったりできる。短期的には目標に従うが、中長期的には目標設定自体に関与し、ときにはリーダーになり、ときにはフォロワーになる。そのような柔軟な組織を目指すべきではないでしょうか。

集まれ！　リアルなファーストペンギン

いささか大げさな話になりましたが、AIが実用化され、チャレンジが求められる時代だからこそ、関西人が得意とするコミュニケーション能力やリアリストとしてのバランス感覚が重要になっていくと思います。

それらを、IT技術などを利用しながらさらに磨いていくことが、ビジネスにおける関西人の取るべき戦略だと考えています。

図5-2　**効率的で機械的な組織構造と、人間主導の組織構造**

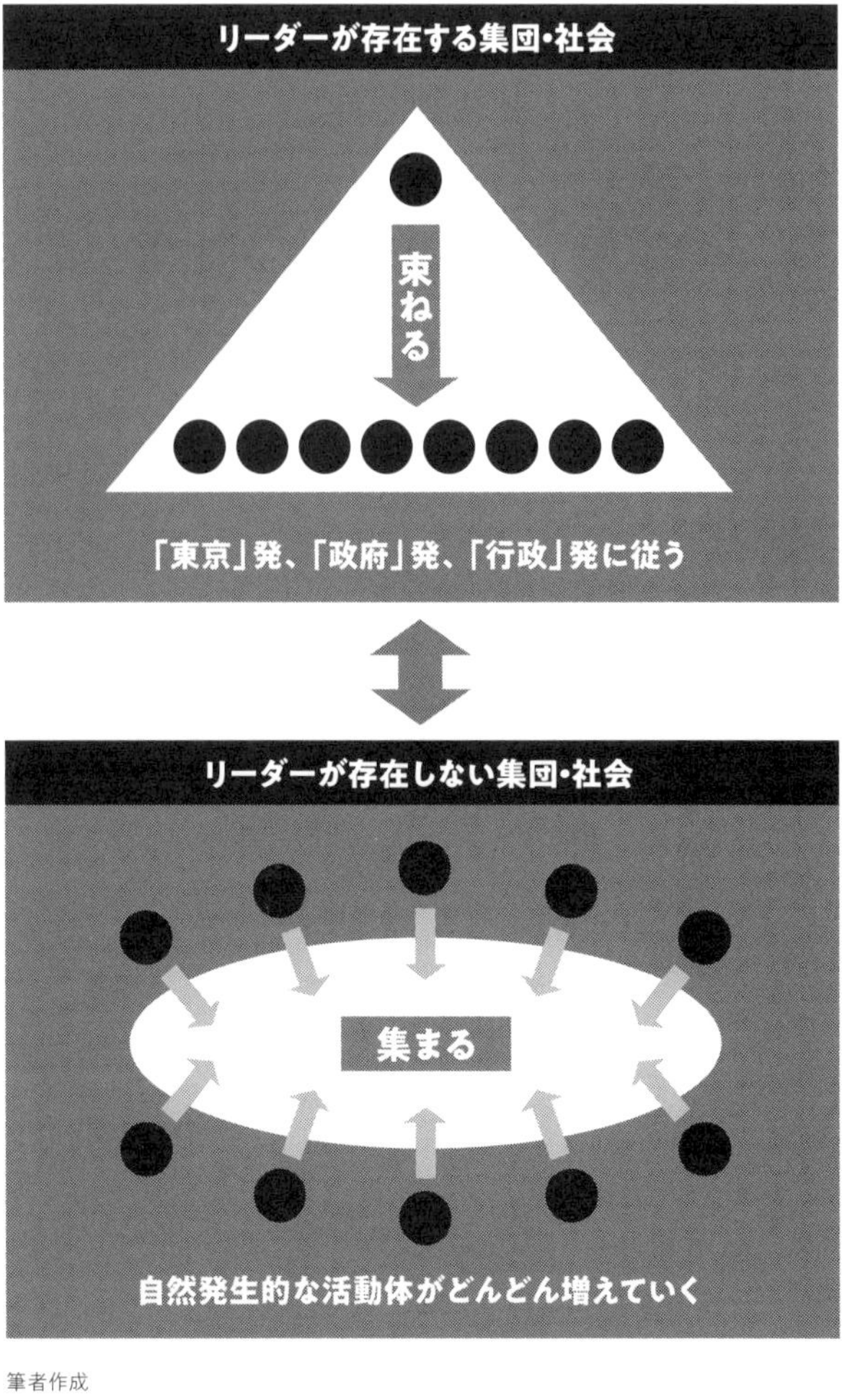

筆者作成

第4章で触れたように、現在の関西は域外から来た多くの人の力も借りてつくられています。これからの関西も、ますます新たな人がやってくる場所にしなければいけません。私たちが考える関西人とは、生まれや育ちが関西ということではなく、人生のどこかで関西を生活の基盤とした経験があり、関西の文化を受け入れ、どこに住んでいようともその文化を継続的に持ち続けている人です。

その一員に、関西外の方にもぜひとも加わっていただき、新たな関西人になってほしいと思っています。

1970年の大阪万博は、国家や大企業が主導した盛大なお祭りでした。次の大阪・関西万博は、私たち一人ひとりが関わり、その後の仕事や生活につながるプロジェクトにしなければいけません。そのためにも、多くの人に関西で生活し、仕事をし、濃いめの人づきあいをして、互いに影響し合う仲間になってほしいと思っています。

子供のころ、新しい遊びを考えてクラスに流行らせるのが好きだった人も多いと思います。ファーストペンギンとは、きっとそのような人だと思います。関西には、海に飛び込むときに後ろでしっかり命綱を持ってくれる仲間がいます。あるときは飛び込んだり、あるときはビビッて退いたり、あるときは命綱を持つ役に回ったり。そんなリアルなファーストペンギンに関西に集まってほしいと願っています。

おわりに

君は大阪に骨をうずめるのか？　北海道出身の筆者（杉田）が、かつて地元の友人に問われた言葉です。北海道から見れば関西はとても遠く、文化も相当に違います。住み続けるには、はっきりした理由や覚悟がいるはずだ、「なんでわざわざ大阪に」とのニュアンスをその問いの中に感じました。

全国的に見ても、関西に住むことに抵抗を持つ人は少なくないように思います。「東京しか知らない部下が関西に異動することになったが、カルチャーショックを避けるにはどこに住めばよいか」と真剣に尋ねられた経験もあります。住むことに特に理由の要らない便利な大都会や、のどかな地方都市のカテゴリーに入りきらない、独特のキャラクターを関西はまとっています。

一方で、関西在住者や出身者には、「関西大好き」を公言してはばからない人が少なくありません。関西から離れても、関西弁をかたくなに使い続ける人もいます。そこには、関西人たるもの、なんとなく関西に住んだり、ただ単に関西出身者だったりすることを許さないという意識が潜在的にあるように感じます。関西は、好きにしろ嫌いにしろ、自分なりの関西像を持つことを要求し、はっきりとした判断を求める街なのです。

私たち関西近未来研究会のメンバーは、たまたま関西で生まれ育った者もいれば、学校や仕事の場がたまたま関西だった者もいます。そこに突如現れた万博開催やＩＲ誘致などのビッグイベント。「関西の自画像」をこの機にアップデートし、これからも関西に住み続けることの積極的な理由づけや意味づけをしたい。これがメンバー共通の思いだったように思います。研究会は、自分探しならぬ、さしずめ新たな「関西探し」の場でした。

さて、そのような思いで関西について調べていくと、豊かな歴史に彩られた過去の物語は余るほどあることに対し、現在と未来については極端にイメージが貧弱であることに気がつきました。

また、文化については東京との対比でステレオタイプに語られることが多く、未来については地域性を顧みない均質的・画一的な未来像が多いことにも気がつきました。研究会では、そのような通念や常識から脱し、現在の事実を冷静に眺め、それぞれが考える「関西大好き」の意味を深く掘り下げ、未来に向けた関西ならではのコンセプトを議論することに注力しました。

その結果、グローバル時代、AI時代にふさわしい未来のビジョンが描けたと思っています。もはや個人として「骨をうずめる」かどうかという次元ではありません。本書で描いた関西像を実現することが、関西のみならず日本や世界にとっての希望であるとの確信と、さらには私たちの責任でもあると感じるようになりました。その希望をぜひ多くの人と分かち合いたい、関西の未来を語り、行動する仲間を増やしたいというのが、研究会メンバーの総意であり、本書の執筆の動機です。

さあ、2025年、あなたは何をしているでしょうか?

あなたの未来を創る場として、ぜひ「大阪・関西」を候補としてください。村の包容力と街の機能性を兼ね備えたビレッジシティだからこそ可能な未来がここにあります。

遊びに来て、食べに来て、飲みに来てください。街づくりに参加し、苦楽を共にしてください。友人をつくり、家族をつくり、口うるさい老人や生意気な子供と意見をたたかわせてください。ひと旗揚げ、踏み台にし、帰る場所にしてください。その結果としてキャリアを磨き、イノベーションの果実を享受し、幸福になってください。一極集中の価値観に押されがちだった〝大阪の逆襲〟に手を貸してください。

Everybody, Come West!

2020年4月

杉田英樹

参考文献

『大阪の教科書 増補改訂版：大阪検定公式テキスト』
橋爪紳也 監修／創元社編集部 編（創元社）

『アジア太平洋と関西 関西経済白書 2019』
一般財団法人アジア太平洋研究所 著（丸善プラネット）

『京都・観光文化検定試験 公式テキストブック』
森谷尅久 監修／京都商工会議所 編集（淡交社）

『カジノの歴史と文化』
佐伯英隆 著（中公文庫）

『叙情と闘争』
辻井喬 著（中央公論新社）

『日本版カジノのすべて』
木曽崇 著（日本実業出版社）

『にっぽん電化史4 万博と電気』
橋爪紳也・西村陽 編著／都市と電化研究会 著（日本電気協会新聞部）

『大阪万博の戦後史』
橋爪紳也 著（創元社）

『京大的アホがなぜ必要か カオスな世界の生存戦略』
酒井敏 著（集英社）

『ティール組織―マネジメントの常識を覆す次世代型組織の出現』
フレデリック・ラルー 著／鈴木立哉 訳／嘉村賢州 解説（英治出版）

青春新書
INTELLIGENCE

こころ涌き立つ「知」の冒険

いまを生きる

"青春新書"は昭和三一年に──若い日に常にあなたの心の友として、その糧となり実になる多様な知恵が、生きる指標として勇気と力になり、すぐに役立つ──をモットーに創刊された。

そして昭和三八年、新しい時代の気運の中で、新書"プレイブックス"にその役目のバトンを渡した。「人生を自由自在に活動《プレイ》する」のキャッチコピーのもと──すべてのうっ積を吹きとばし、自由闊達な活動力を培養し、勇気と自信を生み出す最も楽しいシリーズ──となった。

いまや、私たちはバブル経済崩壊後の混沌とした価値観のただ中にいる。その価値観は常に未曾有の変貌を見せ、社会は少子高齢化し、地球規模の環境問題等は解決の兆しを見せない。私たちはあらゆる不安と懐疑に対峙している。

本シリーズ"青春新書インテリジェンス"はまさに、この時代の欲求によってプレイブックスから分化・刊行された。それは即ち、「心の中に自らの青春の輝きを失わない旺盛な知力、活力への欲求」に他ならない。応えるべきキャッチコピーは「こころ涌き立つ"知"の冒険」である。

予測のつかない時代にあって、一人ひとりの足元を照らし出すシリーズでありたいと願う。青春出版社は本年創業五〇周年を迎えた。これはひとえに長年に亘る多くの読者の熱いご支持の賜物である。社員一同深く感謝し、より一層世の中に希望と勇気の明るい光を放つ書籍を出版すべく、鋭意志すものである。

平成一七年　　刊行者　小澤源太郎

著者紹介

石川智久〈いしかわ ともひさ〉

日本総合研究所マクロ経済研究センター所長。北九州市生まれ。東京大学卒。三井住友銀行を経て現職。大阪府の「万博のインパクトを活かした大阪の将来に向けたビジョン」有識者ワーキンググループ委員等を歴任。

多賀谷克彦〈たがや かつひこ〉

朝日新聞大阪経済部長。神戸市生まれ。4年間の百貨店勤務を経て朝日新聞社へ。前橋、新潟支局のほか東京、大阪本社で経済記者を経験（分野は流通・食品、証券など）。

関西近未来研究会〈かんさいきんみらいけんきゅうかい〉

関西の未来を構想する自主的勉強会。関西を愛してやまないマスコミ人、企業人、研究者などが集結。関西でのイベントが関西や日本全体に与える影響を分析するほか、新しいライフスタイルなどを提言している。

大阪《おおさか》の逆《ぎゃく》襲《しゅう》

青春新書 INTELLIGENCE

2020年6月15日　第1刷

著　者　石《いし》川《かわ》智《とも》久《ひさ》
多《た》賀《が》谷《や》克《かつ》彦《ひこ》
関西近《かんさいきん》未《み》来研究会《らいけんきゅうかい》

発行者　小澤源太郎

責任編集　株式会社プライム涌光

電話　編集部　03(3203)2850

発行所　東京都新宿区若松町12番1号 〒162-0056　株式会社青春出版社

電話　営業部　03(3207)1916　振替番号　00190-7-98602

印刷・中央精版印刷　製本・ナショナル製本

ISBN978-4-413-04594-0